Die Autorin:

Tilde Michels wohnt in München, schreibt Kinderbücher und Bilderbuchtexte, übersetzt und arbeitet für Funk und Fernsehen. Einige ihrer Titel: ›Ich wünsch mir einen Zauberhut‹, ›Kleine Hasen werden groß‹, ›Kleiner König Kalle Wirsch‹ und die ›Gustav Bär‹-Geschichten. Ihr jüngstes Buch trägt den Titel ›Freundschaft für immer und ewig?‹.
Tilde Michels hat sich auch die Geschichte zu dem Bilderbuch ›Es klopft bei Wanja in der Nacht‹ ausgedacht, zu dem Reinhard Michl die Bilder schuf (Gustav-Heinemann-Friedenspreis 1986 und Auswahlliste zum Deutschen Jugendliteraturpreis 1986).
Bücher von Tilde Michels bei dtv junior: siehe Seite 4

Tilde Michels

Halim
von der fernen Insel

Mit Zeichnungen von Mary Rahn

Deutscher
Taschenbuch
Verlag

Erstmals 1971 unter dem Titel ›Von zwei bis vier auf Sumatra‹
im Hoch-Verlag, Düsseldorf, erschienen

Die dem Taschenbuch zugrunde liegende Hardcover-Ausgabe
›Halim von der fernen Insel‹ wurde von der Autorin über-
arbeitet

Von Tilde Michels sind außerdem bei dtv junior lieferbar:
Text zu dem Bilderbuch ›Am Froschweiher‹, gemalt von
Reinhard Michl, Band 7983
Kleine Hasen werden groß, Band 70157
3 × Gustav Bär, Band 70125
Kleiner König Kalle Wirsch, Band 70134
Das alles ist Weihnachten, Band 7149
Frühlingszeit Osterzeit, Band 7493

Ungekürzte Ausgabe
1. Auflage Juli 1989
Deutscher Taschenbuch Verlag GmbH & Co. KG, München
© 1986 Georg Bitter Verlag KG, Recklinghausen
ISBN 3-7903-0338-0
Umschlaggestaltung: Celestino Piatti
Umschlagbild: Ursula Schleicher
Gesetzt aus der Aldus 10/12˙
Gesamtherstellung: Kösel, Kempten
Printed in Germany · ISBN 3-423-70171-4
1 2 3 4 5 6 · 94 93 92 91 90 89

1

»Sie fahren weg«, sagte Daniel zu Putt. »Ganz weit weg. Und mich lassen sie hier.«

Daniel stand im Arbeitszimmer seines Vaters vor dem großen runden Vogelkäfig, der an einer Kette von der Decke hing.

Putt, der Papagei, beäugte den Jungen und krächzte: »Alles kapott, alles kapott.«

»Ich will mit«, sagte Daniel. »Wenn die Mami mitfährt, will ich auch mit.«

»Kraul mich, kraul mich«, verlangte Putt und drängte seinen Kopf an das Käfiggitter.

Daniel wendete sich ab: »Ach du! Was verstehst du schon! Für dich ist es egal, ob die Eltern wegfahren.« Seine Stimme wurde laut und zornig. »Eine ganz tolle Reise machen sie, und ich darf nicht mit. Vier Wochen bleiben sie fort. Da –«, er deutete auf eine Landkarte, die zwischen zwei Büchergestellen hing, »dahin fahren sie: nach Sumatra. Aber du weißt ja nicht, wo das liegt.«

Von Daniel unbemerkt, war sein Vater ins Zimmer getreten.

»Putt weiß genau, wo Sumatra ist«, mischte er sich ein. »Vor sieben Jahren habe ich ihn von dort mitgebracht. Da warst du noch ganz klein.«

Er trat zu Daniel an die Landkarte und zeigte über die langgestreckte Insel, die im blauen Meer schwamm. »Das ist der Indische Ozean«, erklärte er. »Und die dicke Linie hier ist der Äquator; er geht mitten durch Sumatra. Hier oben«, er tippte mit dem Finger auf einen roten Punkt, »liegt die Stadt Medan. Dahin fliegen wir.«

»Ich will mit. Oder die Mami soll hierbleiben!« sagte Daniel.

Der Vater legte ihm eine Hand auf die Schulter. »Fang doch nicht immer wieder damit an! Du weißt genau, daß ich dich nicht mitnehmen kann. Aber die Mami soll diesmal mitkommen. Sie ist immer hiergeblieben; deinetwegen. Jetzt bist du groß genug und kannst wirklich mal vier Wochen ohne uns auskommen.«

Daniel senkte den Blick und fuhr mit den Augen das Teppichmuster entlang; verschlungene Ranken, die sich immer wiederholten. Und ebenso wiederholten sich seine Gedanken: ich will mit, oder die Mami soll dableiben – ich will mit, oder die Mami soll dableiben.

»Ich bleibe nicht allein«, murmelte Daniel.

Er wußte natürlich, daß sie ihn nicht allein ließen: Tante Johanna würde kommen und für ihn sorgen. So war es ausgemacht. Daniel fand das nicht in Ordnung. Er hatte nichts gegen Tante Johanna. Nur, sie war immer so ängstlich und vorsichtig. Und vier Wochen mit ihr allein . . .

»Sieh mal hier«, unterbrach der Vater seine Gedanken. »Hier oben im Norden Sumatras leben die Orang-Utans.«

Daniels Vater, Klaus Gilbert, war Zoologe. Sein Spezialgebiet waren die Tiere der tropischen Urwälder. Um ihre Lebensgewohnheiten zu erforschen, fuhr er oft in ferne Länder, nach Afrika oder Südamerika oder Ostasien. Zur Zeit arbeitete er an einem Buch über Orang-Utans.

»Über was schreibst du denn da?« erkundigte sich Daniel.

»Über alles, was zu ihrem Leben gehört«, antwortete der Vater. »Was sie fressen, wo sie ihre Schlafplätze haben, wie sie in Familien zusammenleben, wie sie ihre Jungen aufziehen . . .«

»Und über ihre Feinde«, warf Daniel ein. »Haben Orang-Utans überhaupt Feinde?«

»Orangs sind stark und können sich gut verteidigen. Ihre einzigen wirklichen Feinde sind wir Menschen.«

»Wir? Was tun wir ihnen denn?«

»Wir fangen sie und holen sie aus ihrem Urwald heraus. Jetzt ist das zum Glück nicht mehr so einfach. Die Tiere sind streng geschützt. Orangs gibt es nur noch auf Sumatra und Borneo. Sie dürfen nur mit Genehmigung der Regierung von ausländischen Zoos erworben werden.«

»Und da«, überlegte Daniel, »sitzen sie in Käfigen mit künstlichem Urwaldklima.«

»Stimmt, Daniel. Man hegt sie, so gut man kann. Aber ein Käfig ist halt kein Urwald.«

»Schöönes Wetter, wondervoll«, kreischte Putt dazwischen. Er wollte, daß sich jemand um ihn kümmerte.

Putt war ein grüner Papagei mit einer leuchtend roten Brust. Auf den Nackenfedern zeichnete sich ein dunkelblauer Streifen ab, der ihm wie ein Band um den Hals lief.

Er hatte ein wenig sprechen gelernt, aber es waren immer die gleichen Sätze, die er bei jeder Gelegenheit von sich gab. Sich selbst nannte er »Pott«, weil er kein U sagen konnte. Er verwandelte diesen Buchstaben immer in ein O.

»Weißt du was«, schlug der Vater vor, »wenn wir weg sind, wirst du Putt versorgen, du ganz allein. Du kannst in meinem Zimmer am großen Schreibtisch Hausaufgaben machen. Dann bist du immer bei Putt.«

»Ja Pott, Pott ist schöön«, schwätzte der Papagei. Er turnte an seiner Kletterstange im Käfig herum.

Inzwischen war auch die Mutter ins Zimmer gekommen. Sie war eine schlanke junge Frau. Daniel sah ihr ähnlich; beide hatten dichtes braunes Haar und graue Augen.

»Die Idee mit Putt finde ich gut«, sagte die Mutter. »Er soll dann für vier Wochen dir ganz allein gehören. Du darfst ihn füttern und seinen Käfig saubermachen.«

Daniel dachte: Putt versorgen – das soll ja nur ein Trost sein. Er fühlte, wie sich die Eltern um ihn bemühten. Aus ihren Worten hörte er sogar ein schlechtes Gewissen heraus, und das tat ihm wohl. Sollten sie ruhig spüren, daß es nicht gut war, zu verreisen und ihn zurückzulassen! Wie sanft sie auf ihn einredeten. Was er alles tun durfte, während sie fort waren. Er wollte aber keine Ratschläge. Er wollte nicht beruhigt werden.

Trotz und Aufruhr stiegen in ihm hoch. Er schüttelte wild seinen Kopf, daß ihm die Haare in die Stirn flogen. »Putt ist mir egal«, stieß er hervor. »Der braucht mich nicht. Ihr braucht mich ja auch nicht. – Von mir aus kann Tante Johanna ihn füttern.«

Der Papagei hatte Daniel mit schiefgelegtem Kopf beobachtet. Jetzt blickte er von einem zum andern, schlug mit den Flügeln und sagte: »Pott ist schöön.«

Obwohl das einer seiner ständigen Aussprüche war, fühlte sich Daniel in diesem Augenblick seltsam davon getroffen. Hatte es nicht vorwurfsvoll geklungen? – Er wollte Putt doch gar nicht kränken, er mußte sich nur auf irgendeine Weise Luft machen.

»Du kannst es dir ja überlegen«, lenkte der Vater ein. »Es hat noch Zeit mit der Reise. Wir fahren erst in vierzehn Tagen.«

In diesen vierzehn Tagen bis zur Abreise ging Klaus Gilbert mit seinem Sohn ein paarmal in den Tierpark. Er zeigte ihm alle Tiere, die aus dem Land Sumatra stammten: Tiger, Schlangen, Krokodile, fliegende Hunde, Elefanten und Affen.

Er gab ihm auch Bücher mit Fotos von Sumatra. Mit denen verkroch sich Daniel in Vaters Arbeitszimmer und studierte sie Seite um Seite.

Da waren braunhäutige Malaien abgebildet und Pflanzungen mit Tabak, Gummi und Reis. Die Gummibäume interessierten Daniel besonders. Sie hatten schräg um den Stamm laufende Schnittstellen, aus denen das Harz herausfloß. Dieser weiße klebrige Saft wurde in kleinen Töpfen aufgefangen.

Und dann der Urwald! – Das war ein geheimnisvolles Wort für Daniel. Immer wieder fragte er den Vater danach. Urwald: ein Dickicht, in dem die Pflanzen wild und üppig wuchern, so dicht, daß alles in grünliches Dämmerlicht getaucht ist. Urwald: Baumriesen, Schlinggewächse, Kletterpalmen, Luftwurzeln – alles unentwirrbar ineinander verrankt.

Wenn Daniel die Bilder betrachtete und Geschichten über dieses ferne Land las, vergaß er oft, daß er in Vaters Arbeitszimmer saß.

Putt hockte neben ihm im Käfig, und weil es ihm langweilig wurde, weckte er Daniel mit Gekreisch aus seiner Versunkenheit.

Dann nahm Daniel Putt aus dem Käfig, kraulte ihn und sagte: »Gut, daß du da bist, du alter Putt.«

Und der Papagei wiegte sich auf Daniels Hand und antwortete: »Alles kapott, alles kapott.«

2

Die Abreise der Eltern rückte näher. Tante Johanna zog ins Haus, und dann war es soweit!

Daniel stand mit Tante Johanna an der Gartenpforte. Ein Taxi wartete, das seine Eltern zum Flugplatz bringen sollte. Er hielt den Blick starr auf das Taxischild geheftet. Die Stimmen der Eltern drangen wie von fern zu ihm; sie gaben letzte Anweisungen und Ratschläge:

»Sei lieb zu Tante Johanna! Mach deine Aufgaben immer ordentlich! Vergeßt nicht, abends die Gartentür abzusperren! Wir schreiben euch oft. Macht's gut zusammen. Wir sind ja bald wieder da . . .«

Dann wurde er in die Arme genommen und gedrückt. Er spürte das Gesicht der Mutter an seiner Wange und den aufmunternden Klaps, den ihm der Vater gab. Steif, mit hängenden Armen ließ er den Abschied über sich ergehen.

Das Taxi fuhr an. Daniel lauschte dem Summen des Motors nach, das immer leiser wurde, bis es sich in der Ferne verlor.

»Jungchen, komm«, sagte Tante Johanna herzlich. »Die Zeit geht schneller vorbei, als du glaubst. Wir werden das miteinander schon schaffen.«

Sie schob Daniel mit sanftem Druck zum Haus.

Das Gilbert'sche Haus lag in einem Vorort. Es war weiß getüncht und mit dunkelbraunen Dachziegeln gedeckt. Alle Zimmer, die zu ebener Erde lagen, hatten einen direkten Ausgang in den Garten, mit Ausnahme von Vaters Arbeitszimmer. Ursprünglich war auch dort eine Tür ins Freie gewesen, die hatte der frühere Besitzer jedoch zumauern lassen.

Man konnte noch erkennen, wo diese Tür einmal

gewesen war: zwischen den Büchergestellen, wo jetzt die Landkarte von Sumatra hing. Dort hatten sich über dem zugemauerten Türrahmen feine Risse im Verputz gebildet, die aber von der großen Landkarte verdeckt wurden.

Dieses Arbeitszimmer war von jetzt an Daniels Zufluchtsort. Dort studierte er Bücher über Sumatra und las Märchen von dieser fernen Insel.

In der Früh erschien ihm das Leben einfach: aufstehen, anziehen, frühstücken, Schultasche packen, das mußte immer hopphopp gehen, da hatte er keine Zeit, Gedanken nachzuhängen. Auch in der Schule war es wie sonst: der Unterricht, die Pausen mit den Kameraden, der Schulweg.

Bis Mittag ging alles gut – aber dann! Erst kam das Essen, ganz allein mit Tante Johanna, und danach die beiden öden Stunden von zwei bis vier, wenn die Tante ihren Mittagsschlaf hielt.

Aus Sorge, Daniel könnte ihr entwischen, hatte sie angeordnet, er sollte Aufgaben machen, während sie ruhte.

Das tat er auch – oder vielmehr er versuchte es. Mit seinen Schulheften verkroch er sich in Vaters Arbeitszimmer. Dort war wenigstens Putt. Trotzdem wollten die zwei Stunden kein Ende nehmen. Daniel rechnete, schrieb und starrte zwischendurch auf die Landkarte von Sumatra.

Am Nachmittag ging er dann zu seinem Freund Manfred ins Nachbarhaus, und für eine Weile war alles wieder in Ordnung.

So vergingen die ersten Tage, nachdem die Eltern abgereist waren.

Dann zerstritt er sich mit Manfred, und das war

schlimm. Manfred war der einzige gleichaltrige Junge in der Nachbarschaft und seit vielen Jahren Daniels Freund. Gerade jetzt hatte er einen Freund dringend nötig, aber der Bruch schien unwiderruflich.

»Niiie wieder rede ich mit dem!« stieß Daniel zwischen den Zähnen hervor und warf heftig die Gartentür zu.

Manfred hatte ihn »Aufschneider« genannt und, was noch ärger war, »Muttersöhnchen«. Nur weil Daniel ein bißchen geprotzt hatte mit der Reise seiner Eltern. Er hatte behauptet, sie seien auf Tigerjagd und brächten ihm ein Tigerfell mit, vielleicht auch einen zahmen Panther.

Daniel machte sich wichtig, um seinen Kummer zu übertönen, aber das durchschaute Manfred nicht. Die abenteuerlichen Reisen von Daniels Vater erregten immer seinen Neid, und er konnte nicht vertragen, daß sich der Freund damit aufspielte.

»Aber mitgenommen haben sie dich nicht«, spottete er. »Hättest am liebsten am Rockzipfel deiner Mama gehangen. – Muttersöhnchen!« Ganz verächtlich hatte er es hingeworfen.

»Niiie mehr! Schluß mit Manfred!« sagte Daniel beim Mittagessen zu Tante Johanna und lehnte alle Beschwichtigungsversuche ab. Immer die Erwachsenen mit ihrer Versöhnung. Daniel wollte Feindschaft, blanke Feindschaft! Schluß!

Er schlang die Nudeln mit Tomatensoße in sich hinein, ohne zu wissen, was er aß, und er war unglücklicher als je in seinem Leben. Nun waren die Eltern fort, und den einzigen Freund hatte er auch verloren.

Als die Uhr zwei schlug und Daniel wie gewöhnlich in Vaters Arbeitszimmer ging, war sein Gesicht ganz verdüstert.

Der Raum war dämmrig und kühl. Durch die halb

vorgezogenen Gardinen drang das Tageslicht in schmalen Streifen herein.

Es war sehr still. Von den Bücherwänden und dem schweren Eichenschreibtisch ging eine geheimnisvolle Ruhe aus. Selbst der Papagei begrüßte ihn nicht mit Geschrei wie sonst, sondern hockte am Boden des Käfigs und blickte ihm mit hochgerecktem Kopf erwartungsvoll entgegen.

Er hätte Putt gern seinen Jammer erzählt, aber was in ihm vorging, konnte er nicht ausdrücken. Deshalb murmelte er nur: »Es ist kein bißchen lustig.«

Putt kletterte an den Käfigstangen empor, blinzelte den Jungen an und antwortete: »Das liegt nur an dir selbst.«

Daniel war so mit seinen Gedanken beschäftigt, daß er gar nicht begriff, was soeben geschehen war: Putt hatte ganz selbständig einen vernünftigen Satz gesprochen.

»Wieso liegt es an mir?« fragte er.

»Weil es immer an einem selbst liegt«, sagte der Papagei. »Wenn du willst, kannst du deine Lage ändern.«

»Wie denn?«

»Soll ich es dir sagen?«

»Ja, sag doch! –«

Da plötzlich merkte Daniel, daß er sich mit dem Vogel richtig unterhielt. »Aber du kannst ja reden«, rief er mit aufgerissenen Augen.

»Natürlich«, antwortete Putt, als ob das wirklich die natürlichste Sache der Welt wäre.

Eine Weile standen sich Daniel und Putt stumm gegenüber.

»Du mußt nur wollen«, fing der Papagei wieder an, »dann wird alles anders.«

»Meinst du das im Ernst?« rief Daniel. »Also von mir aus: Ich will!«

»Ausgezeichnet«, lobte Putt. »Es ist gut, daß du keine Fragen stellst. Wer zuviel fragt, zerstört jedes Geheimnis.«

»Sag mir, was ich tun muß.«

»Mach zuerst mal den Käfig auf«, verlangte Putt. Als das geschehen war, sagte er: »Schlüpfe hinter die Landkarte von Sumatra. Die Wand ist gar nicht zugemauert, wie alle glauben. Du findest eine Tür – mehr brauche ich dir nicht zu erklären.«

Daniel ging hinüber zur Landkarte. Lang hingestreckt lag die Insel im blauen Meer. Sie schien seltsam belebt, und irgend etwas rauschte in Daniels Ohren. Das Meer wogte plötzlich, und überall in der Landschaft standen Palmen, die ihre Wipfel im Wind bewegten.

Es war ihm heiß und ein wenig schwindlig, als er die Karte beiseite schob.

»Die Tür«, drängte Putt. »Da ist sie. Mach sie doch auf!«

Daniel fand eine Klinke, drückte sie hinunter und stieß die Tür weit auf.

Vor ihm lag eine fremdartige Landschaft. Sie kam Daniel trotzdem bekannt vor. Es war so wie auf den Bildern in Vaters Büchern.

Er trat einen Schritt vor. Brütende Hitze schlug ihm entgegen. Die Sonne stach von einem dunstigen Himmel herab.

»Na, was sagst du?« rief Putt. »Jetzt bist du da, wo du sein wolltest.«

Daniel kniff die Augen zusammen. Das gleißende Licht blendete ihn. Er war unschlüssig, ob er vorwärts in dieses fremde Land gehen sollte oder zurück in das vertraute Haus. Aber als er sich umblickte, war kein Haus mehr da. Er stand allein auf einem ausgetrockneten Pfad, der schnurgerade durch Felder lief, und Putt saß vor ihm auf einem Bambus.

»Los, komm endlich!« drängte der Papagei.

Da zögerte Daniel nicht länger und folgte ihm, ohne sich noch einmal umzuwenden.

3

Der lehmig-holprige Weg führte durch Tabakpflanzungen, auf denen braunhäutige Männer arbeiteten. Sie jäteten Unkraut zwischen den Stauden, und Daniel wartete gespannt, ob ihn einer ansehen und fragen würde, woher er käme. Aber die Männer schienen den Jungen mit dem Papagei nicht zu bemerken.

Putt hatte sich auf Daniels Schulter gesetzt. So gelangten die beiden in der flirrenden Hitze bis ans Ende der Straße, die in eine Siedlung mündete. Es war ein kleines Dorf am Rande des Urwalds. Dicht und dunkel ragte der Wald auf wie eine Mauer.

Ein paar abgemagerte Hunde sprangen Daniel entgegen, blieben kurz vor ihm stehen und hoben schnuppernd die Nasen. Dann – als hätten sie sich getäuscht – zogen sie die Schwänze ein und krochen zurück in den Schatten unter die Hütten. Aus ihrem Versteck heraus knurrten sie jedoch mißtrauisch in die Richtung der Ankommenden.

Vor einer der Hütten hantierte eine Frau an der offenen Feuerstelle. Der Herd war aus Backsteinen grob zusammengesetzt. Aus einer Eisenpfanne über dem Feuer stieg der Geruch von Öl und gedörrtem Fisch.

Die Frau trug eine Bluse und ein buntes Tuch, das sie wie einen langen Rock um ihre Hüften geschlungen hatte. Ihr braunes Gesicht mit dem großen weichen Mund gefiel Daniel. Er trat näher, in der Hoffnung, daß sie etwas zu ihm sagen würde, aber ihre Augen blieben nicht an ihm haften. Sie blickte über ihn hinweg, als nähme sie ihn überhaupt nicht wahr.

»Arnat, Ripin, Lela«, rief die Frau. »Macht, daß ihr auf die Reisfelder kommt! Laßt die Vogelscheuchen klappern!« Und dann setzte sie ungeduldig drängend hinzu: »Ajo, ajo!«

Eine Bastmatte wurde zurückgeschoben, in der Türöffnung erschienen zwei Knaben und ein Mädchen. Sie stießen sich lachend die schmale Leiter hinab, die vom Eingang der Hütte zum Erdboden führte.

»Ajo, ajo!« rief die Mutter noch einmal und scheuchte die Kinder mit den Armen davon.

»Wir gehen ja schon«, antwortete der größere Junge.

»Hier sind noch ein paar neue Klappern.« Die Mutter reichte ihnen drei Vogelscheuchen, sie waren kunstvoll aus Tiergerippen gefertigt. Wenn man an den Schnüren zog, gaben sie ein vieltöniges Klappern von sich.

Die Kinder stimmten sogleich ein heftiges Getöse damit an und machten sich hopsend und kreischend auf den Weg. Sie kamen so dicht an Daniel vorbei, daß ihn das Mädchen streifte. Daniel spürte deutlich die Berührung am Arm, aber das Mädchen merkte offenbar nichts. Sie blickte ihn nicht einmal an. Keiner drehte sich nach ihm um.

Daniel war sehr verwundert. Er war doch ein Fremder; sein Aussehen müßte den Leuten auffallen. Wieso erregte er keine Aufmerksamkeit in diesem weltfernen Urwalddorf?

Plötzlich kam ihm eine Erkenntnis: »Du Putt«, sagte er, »ich glaube, die sehen uns gar nicht.«

»Das überlege ich mir auch schon eine ganze Weile«, antwortete der Papagei.

»Wie schade. Ich hätte so gern mit ihnen gespielt. Was habe ich davon, wenn ich mit keinem spielen kann!«

»Du bist undankbar.« Putt war ärgerlich. »Da bringt man dich in eine richtige Urwaldsiedlung mitten auf Sumatra, und du jammerst darüber, daß niemand mit dir spielt. Was soll ich erst sagen? Ich bin hier aus dem Ei geschlüpft, und jetzt flattere ich herum wie ein Geist.«

Daniel mußte zugeben, daß Putt recht hatte. Vielleicht war es sogar ein Vorteil, unsichtbar zu sein. So konnte er sich ganz ungestört umschauen.

Die Hütten waren auf Bambuspfählen gebaut und mit Palmstroh gedeckt. Eine Leiter führte zum Wohnraum hinauf. Daniel wußte, warum die Häuser auf Pfählen standen: wegen der Feuchtigkeit des Bodens und zum Schutz gegen wilde Tiere.

Er klomm die schmale Leiter hinauf, die zur Wohnung der Kinder Arnat, Ripin und Lela führte. Wie ein Einbrecher kam er sich vor. Deshalb blickte er sich nur scheu um.

Der Raum war spärlich ausgestattet. Am Boden lagen ein paar Bastmatten, die zum Schlafen und als Sitzgelegenheit beim Essen dienten. An der Wand aus geflochtenem Bambus hingen Körbe und Kleider. In einem Gestell wurden die Eßnäpfe und die Schulhefte der Kinder aufbewahrt.

Das Erstaunlichste war ein Bündel, welches an vier Zipfeln zusammengeknotet von der Decke herabhing und in dem sich etwas bewegte. Der Tuchbeutel schaukelte ein wenig, und ein dünnes Stimmchen quäkte darin: Es war die Wiege eines malaiischen Säuglings.

Sonst gab es in diesem einzigen Raum des Hauses nichts zu entdecken oder zu bewundern.

Daniel erschrak, als er Tritte auf der Leiter hörte und die Hausfrau plötzlich vor sich sah. Konnte er sicher sein, daß sie ihn nicht bemerkte? – Aber sie eilte nur zu dem Kind, das heftiger zu weinen begonnen hatte, sprach auf es ein und ließ das Bündel kräftiger schwingen.

»Wir gehen lieber«, flüsterte Daniel Putt zu. Laut zu sprechen, wagte er nicht.

Er schob sich an der Frau vorbei und glitt die Treppe hinab.

Draußen war es still. Die meisten Dorfbewohner waren auf den Pflanzungen. Nur Frauen hantierten zwischen den Hütten, und ein paar alte Männer hockten im Schatten einer Zuckerpalme.

Am Ende der Siedlung spielten vier Buben, ungefähr in Daniels Alter. Sie trugen kurze Hosen mit weiten Hosenbeinen, die ihnen fast bis zu den Knien reichten. Ihre braunen Oberkörper waren nackt, und alle liefen barfuß.

Daniel hörte, daß sie ein Jagdspiel machen wollten. Sie stritten darüber, wer Tiger und wer Jäger sein sollte. Drei Speere steckten vor ihnen im Boden, und ein Fetzen Tigerfell lag daneben.

»Immer will Halim Tiger sein. Heute kommt Ruki dran«, sagte einer der Jungen.

»Du mußt auch einmal Jäger werden, Halim«, bestimmte ein anderer.

Der mit Halim Angeredete griff hastig nach dem Tigerfell und drückte es an sich. »Nein, Ruki! Ich muß

19

Tiger sein. Du weißt doch, daß ich kein Jäger werden kann.« Und dann stieß er erregt hervor: »Ihr wißt es doch alle. Wenn die Leute sagen, daß mein Vater ein Tigermensch ist – wie kann ich da ein Jäger sein, der ihn tötet?«

Für Daniel waren diese Worte rätselhaft. Halims Kameraden schienen jedoch zu verstehen, um was es ging. Sie erklärten: »Also gut, dann wollen wir losen.«

Dagegen konnte Halim nichts einwenden.

Er breitete den Fetzen Tigerfell aus, und alle vier hockten sich darum herum. Dann ließ Ruki seinen Speer über das Fell wirbeln. Er kreiste, holperte und blieb schließlich still liegen: die Spitze zeigte auf Halim.

»Halim ist es! Halim wird Tiger.«

»Seht ihr«, sagte Halim. »Das Los hat für mich entschieden.«

Ruki und die beiden andern fügten sich sofort. Wenn das Los gesprochen hatte, war nicht mehr daran zu rütteln. Sie ergriffen ihre Speere und wurden alle drei Jäger.

»Jetzt die Verwandlung!« rief Ruki.

Halim hob das Tigerfell auf, knüpfte es sich um die Schultern und sprach:

> »Gali Bertali
> Pfefferwurz.
> Gelb gescheckt
> schwarz gefleckt –
> Tiger!«

Daniel wartete gespannt, was geschehen würde.

»Wird er wirklich ein Tiger?« flüsterte er Putt zu.

»Ja und nein«, antwortete Putt.

»Was heißt das?«

»Ja und nein«, wiederholte Putt.

Daniel machte eine ärgerliche Bewegung und schüttelte ihn von seiner Schulter. Der Papagei flog schimpfend auf einen Feigenbaum.

»Antworte doch!« drängte Daniel. »Wird er richtig ein Tiger?«

»Genauso richtig, wie du Rennfahrer oder wer weiß was wirst, wenn du spielst. – Du bist noch immer zu ungeduldig. Warte ab und schau zu!«

Der Tiger Halim war inzwischen vorsichtig schleichend im Gestrüpp verschwunden. Als nichts mehr von seinem Fell zu sehen war, kamen die Jäger hinter einer Hütte hervor. Sie trugen dünne Bambusstöcke mit sich.

»Aha«, ließ sich Putt vernehmen. »Sie bauen eine Tigerfalle. Keine richtige, wenn du es genau wissen willst. Die Bambusstöcke deuten nur den Platz an, wo die Falle liegen soll. Tritt der Tiger hinein, ist er gefangen.«

Putts Erklärung stimmte. Die Jäger legten die Bambusstöcke in einem Viereck aus und warfen Zweige und trockene Palmblätter darüber.

Dann wechselten sie den Platz und Ruki rief mit lauter Stimme: »Ajo, ajo, Tiger, ajo!«

Gleich darauf leuchtete das Fell gelb und schwarz im Blätterdickicht, und der Tiger stürzte mit Knurren und Brüllen heraus.

Die Jäger wehrten ihn mit den Speeren ab und versuchten, ihn in die Falle zu treiben. Der Tiger hatte kein leichtes Spiel. Er mußte den Jägern Prankenhiebe versetzen und sich gleichzeitig vor der verborgenen Falle in acht nehmen. Die Jäger hatten zwar den Vorteil, bewaffnet zu sein, aber sie mußten immer offen kämpfen, während sich der Tiger überall verstecken und aus dem Hinterhalt angreifen durfte.

Bald wurde das Spiel wilder. Angriff folgte auf Angriff: anschleichen, ducken, aufscheuchen, vorstoßen, jagen.

Daniel wurde ganz mitgerissen beim Zuschauen. Vor Aufregung ballte er seine Hände zur Faust.

Jetzt hatten die Jäger den Tiger eingekreist. Sie drängten ihn näher und näher an die versteckte Falle heran.

Da konnte Daniel nicht mehr an sich halten. »Zurück!« schrie er. »Die Falle! Paß doch auf, Tiger!«

Aber der Tiger hörte ihn nicht.

Da lief der Jäger Ruki ganz nahe an die versteckten Bambusstöcke und bot dem Tiger seinen ungeschützten Rücken. Der Tiger vergaß alle Vorsicht und sprang zu. Ruki wich geschickt zur Seite – der Tiger saß in der Falle.

»Gefangen!« brüllten die Jäger.

Sie räumten die Zweige fort, mit denen sie die Falle getarnt hatten, und zum Zeichen, daß die Jagd beendet war, hielten sie ihre Speere mit den Spitzen zusammen über den Tiger.

Halim sah verstört um sich, dann schüttelte er das Tigerfell ab wie einen Traum und sprang aus der Falle. Die Jäger legten die Speere beiseite. Für kurze Zeit hatten alle unter einer Verzauberung gestanden.

Ruki lief jetzt mit den beiden andern davon, nur Halim blieb zurück. Er hockte sich auf den Boden. Enttäuschung lag auf seinem Gesicht.

Daniel wünschte sehnlich, mit ihm reden zu können.

»Du, Putt, was hat er gemeint mit seinem Vater und dem Tigermenschen?«

»Das ist eine sehr merkwürdige Sache«, antwortete Putt. »Die Leute hier glauben, daß es Menschen gibt, die sich in Tiger verwandeln können. Tagsüber sind sie wie andere Leute, aber nachts werden sie Tiger und gehen auf Raub aus. Vor ihren Hütten finden sich immer Tigerspuren. Daran werden sie erkannt.«

»Und Halims Vater?« fragte Daniel. »Meinst du, daß er wirklich ein Tigermensch ist?«

»Wie kann ich das wissen? Vielleicht stimmt es gar nicht, aber es genügt, daß die Leute daran glauben. Ein Mensch, auf den ein solcher Verdacht gefallen ist, wird aus der Gemeinschaft ausgestoßen.«

Während Putt sprach, hatte Daniel den braunen Halim voller Mitgefühl betrachtet. Dann wanderte sein Blick zu dem Tigerfell, das neben der Bambusfalle lag, dort, wo er es von sich geworfen hatte.

Daniel hob es auf.

Es war ein Fetzen, einen knappen Meter lang und etwa einen halben Meter breit.

Er legte sich das Fell um die Schultern und versuchte, sich an die Beschwörungsformel zu erinnern.

»Wie fing das noch an mit der Pfefferwurz?« fragte er Putt.

»Gali Bertali«, half der Papagei.

Da fiel ihm der ganze Spruch wieder ein, und er sagte ihn:

>   »Gali Bertali
>   Pfefferwurz.
>   Gelb gescheckt
>   schwarz gefleckt –
>   Tiger!«

Er hatte natürlich nichts erwartet, er wollte nur ausprobieren, wie das war, mit einem Tigerfell um die Schultern. Um so mehr war er betroffen, als er Halims Blick plötzlich fest auf sich gerichtet sah. Tiefes Erstaunen lag darin.

»Teindaku«, flüsterte Halim. »Teindaku, mein Bruder. Ich habe lange auf dich gewartet.«

Daniel schwankte zwischen Freude und Zweifel. Da war endlich jemand, der ihn sehen konnte, der ihn sogar erwartet hatte. – Oder war es nur eine Täuschung?

»Auf mich?« fragte er. »Hast du wirklich auf mich gewartet?«

Halim kam vorsichtig näher und strich mit der Hand über das Tigerfell auf Daniels Schulter. Dann nickte er und sagte vertrauensvoll: »Du bist Teindaku, mein großer Bruder Tiger. Mit dir werde ich meinen Vater finden.«

Eine Weile war es still zwischen ihnen; der Nachklang dieser Worte hing in der Luft.

Was für seltsame Dinge hatte Halim gesprochen. Daniel war verwirrt und auch ein wenig traurig – traurig, daß Halim nicht ihn, sondern einen andern erwartet hatte. Er mußte ihm erklären, daß er sich geirrt hatte.

»Ich heiße Daniel«, begann er leise.

Bevor er weiterreden konnte, fiel ihm Halim erregt ins Wort: »Du bist ein Teindaku, ein Tigermensch. Sag, haben die Leute wirklich recht? Ist mein Vater ein Tigermensch? Weißt du, wo er ist?«

Daniel schüttelte den Kopf. »Ich kenne ihn nicht. Ich bin auch kein Tigermensch.« Er wäre es in diesem Augenblick so gern gewesen, weil Halim es sich wünschte und weil er Halims Freund sein wollte.

Halim ließ sich nicht beirren. »Ich habe doch gesehen, wie du aus dem Tigerfell geschlüpft bist. Ganz plötzlich hast du dagestanden. Genauso machen es die Teindakus.«

Daniel blickte sich hilfesuchend nach Putt um. Der Papagei saß noch immer auf dem Feigenbaum. Er hatte

sich eine der grünen Früchte abgebrochen, hielt sie zierlich in seinem rechten Greiffuß und biß das rote kernige Fleisch heraus. Ganz unbekümmert hockte er da und fraß, während sich für Daniel schwerwiegende Dinge ereigneten.

»Wie kannst du denn jetzt fressen!« tadelte Daniel.

»Warum soll ich nicht?« entgegnete Putt. »Bei euch zu Hause kriege ich keine frischen Feigen, und mich hält man ja nicht für einen Teindaku.«

Es war empörend, wie seelenlos Putt sein konnte.

»Siehst du«, rief Halim triumphierend. »Da haben wir's! Du kennst die Sprache der Tiere, und weil du hier bist, verstehe ich sie auch. Warum leugnest du, daß du ein Teindaku bist? Ich verstoße dich doch nicht. Ich brauche dich.« Er streckte die Hand aus, und sein Gesicht mit den dunklen Augen und der kleinen breiten Nase hellte sich auf: »Du gefällst mir. Ich will dein Bruder sein.«

Daniel ergriff die dargebotene Hand. Eine Zuversicht überkam ihn, daß schon alles recht werden würde.

Inzwischen hatte Putt das Innere der Feige verzehrt und die Hülle fortgeworfen. Befriedigt ließ er seine graue Zunge durch den Schnabel rollen; sie sah aus wie ein kleiner harter Kloß. Einen Augenblick schaute er noch träumerisch in die Ferne, dann sagte er unvermittelt: »So, jetzt müssen wir nach Hause.«

Daniel schreckte auf. »Nach Hause? Wieso denn? Gerade jetzt, wo ich einen Freund gefunden habe? – Ich bleibe hier!«

»Und Tante Johanna? Du vergißt, daß sie um vier Uhr im Arbeitszimmer erscheint. Wenn mich nicht alles täuscht, hat sie ihre Mittagsruhe beendet. Es wird Zeit für uns.«

»Ich will aber wieder herkommen.«

»Kannst du auch. Vorausgesetzt, du hältst die Zeit ein: nachmittags von zwei bis vier.«

»Mußt du wirklich fort?« fragte Halim besorgt.

»Ich komme wieder. Morgen schon.«

»Bestimmt?«

»Ganz bestimmt.«

»Ich warte auf dich.«

Putt flog auf Daniels Schulter, und sie schritten zusammen denselben Weg zurück, den sie gekommen waren: durch das Dorf, vorbei an den Pflanzungen, bis ihnen eine Mauer den Weg versperrte.

Sie fanden eine Pforte und schlüpften hindurch. Gleich dahinter hing ein Stück graue steife Leinwand, die Landkarte in Vaters Arbeitszimmer.

4

Noch ganz benommen von seinem Erlebnis setzte sich Daniel an den Schreibtisch. Die Wanduhr der Diele schlug gerade vier.

Eilig kramte er seine Schulhefte hervor, und als kurz darauf Tante Johanna ins Zimmer kam, sah sie Daniel tief über seine Arbeit gebeugt.

»Bist du aber fleißig«, lobte sie. »Habt ihr heute so viel auf?«

»Ja, ziemlich«, antwortete Daniel. »Ich bin noch nicht ganz fertig.«

»In einer halben Stunde gibt's Tee. Dann wirst du sicher soweit sein. Ich habe Erdbeertörtchen für dich. – Aber wo ist denn Putt?« Sie unterbrach sich und deutete nach dem leeren Käfig.

»Papa, Mama, kraul mich«, tönte Putt von der Höhe eines Büchergestells.

»Du solltest ihn nicht frei fliegen lassen«, sagte die Tante. »So ein Vogel verschmutzt alles, und Vaters gute Bücher...!«

»Pott ist schöön«, erklärte der Papagei aufgebracht.

»Da hörst du's«, sagte Daniel. »Er verteidigt sich.«

Tante Johanna mußte lachen. »Eine Verteidigung auf Papageienart.«

»Du darfst dich nicht lustig machen«, warnte Daniel. »Vielleicht versteht er besser, als du glaubst.«

Wie zur Bekräftigung kreischte Putt noch einmal: »Pott ist schöön.«

»Schönheit und Sauberkeit wachsen nicht auf einem Holz.« Tante Johanna drückte sich gern in Sprichwörtern aus, und wenn der Sinn nicht ganz paßte, wandelte sie ihn einfach ab.

Daniel verstand das nicht immer und fand diese Redeweise verschroben. Es lag ihm auf der Zunge, »spinnig« zu sagen, aber er verkniff sich die Bemerkung wegen der Erdbeertörtchen, die ihm Tante Johanna angekündigt hatte.

»Los, geh in deinen Käfig!« rief er Putt zu.

Putt gehorchte sofort – allerdings nur Daniel zuliebe. Auf die Tante war er wütend, weil sie ihn beleidigt hatte. Er trippelte zornig auf seiner Schaukelstange und schrie: »Mach, daß do rauskommst! Mach, daß do rauskommst!«

Eine halbe Stunde später saß Daniel mit Tante Johanna am Teetisch und aß Erdbeertörtchen. Das erste verzehrte er noch mit Aufmerksamkeit, die folgenden drei stopfte er gedankenverloren in sich hinein.

In seiner Erinnerung suchte er die Urwaldsiedlung. Er erlebte noch einmal das Tigerspiel und sah Halims hoffnungsvollen Blick auf sich gerichtet.

»Findest du, daß Halim ein schöner Name ist?« fragte er.

»Ein bißchen ungewöhnlich«, antwortete die Tante.

»Ich meine: klingt er schön?«

»Gewiß, er ist recht wohllautend.«

»Halim ist auch ein sehr netter Junge«, sagte Daniel.

»Habt ihr denn einen Halim in der Klasse?« erkundigte sich Tante Johanna. »Von dem habe ich noch nie etwas gehört.«

»Kannst du auch gar nicht. Der ist nämlich – och, weiter nichts.« Daniel besann sich, daß es besser war, nicht über Halim zu reden, deshalb sagte er schnell: »Die Erdbeertörtchen schmecken wunderbar.«

Aber die Tante ließ sich nicht so schnell von einem Thema abbringen.

»Ist dieser Halim ein Ausländer?«

»Ja, das heißt, eigentlich weiß ich es selbst nicht genau. Ich kenne ihn ja kaum.«

»Du hast doch gerade gesagt, er sei ein netter Junge.«

»Ich denke mir das halt, weil der Name so nett ist.« Daniel suchte krampfhaft nach etwas, womit er die Tante ablenken könnte. Da fiel ihm zum Glück die Post ein.

»Hach, wir haben noch nicht nach der Post geschaut. Vielleicht ist ein Brief von Vater und Mami gekommen.«

»Richtig, sieh mal nach.«

Daniel hakte den Briefkastenschlüssel vom Brett und sauste hinaus. Bevor er den Briefkasten erreichte, warf er schnell einen Blick zum Nachbarhaus, wo sein Freund – oder vielmehr sein ehemaliger Freund – wohnte.

Manfred stand am Gartentor, davor wartete Günther, ein anderer Klassenkamerad. Natürlich hatte Manfred Daniel ebenfalls bemerkt; denn er begrüßte Günther übertrieben laut, um zu zeigen, daß er keinen Mangel an Freunden hatte.

Ingrimmig, mit gespannter Aufmerksamkeit verfolgte Daniel, wie Manfred diesen Günther in den Garten zog und dann mit ihm tuschelte, worauf alle beide in schallendes Gelächter ausbrachen. Worüber lachten sie? Daniel fühlte sich auf grausame Weise ausgeschlossen. Besonders schlimm war es, daß er diesem Getuschel und Gelächter nichts entgegensetzen konnte. Er wußte genau, wenn er jetzt etwas hinüberrief, bekämen sie erst recht Oberwasser. Die waren ja zu zweit. Allein war er ihnen ausgeliefert.

Deshalb zog er vor, so zu tun, als hätte er nichts gehört und gesehen. Betont lässig holte er die Post aus dem Kasten und blätterte sie durch, wie jemand, der jeden Tag ein Dutzend Briefe erhält.

Von den Eltern war nichts dabei, das sah er auf den ersten Blick.

Er überspielte seine Enttäuschung und tat, als sei eine besonders interessante Postkarte gekommen. Scheinbar ins Lesen vertieft, erreichte er die Haustür und zog sie schnell hinter sich zu.

Den Inhalt der Karte, die er in der Hand hielt, begriff er erst jetzt. Darauf stand:

> *Wir teilen Ihnen mit, daß unser*
> *Monteur am 11. dieses Monats wegen*
> *der Reparatur der Waschmaschine*
> *bei Ihnen vorsprechen wird.*

Waschmaschine! Daniel hätte diese lächerliche Karte am liebsten in Fetzen gerissen. Immer wenn das Leben besonders schwer war, wie in diesem Augenblick für ihn, mußte etwas ganz Albernes passieren. Ob das Absicht war? Damit man denken sollte, es sei alles gar nicht so schwer? Darauf würde sich Daniel nicht einlassen. Er hatte es schwer, und er wollte es auch schwer haben. – Waschmaschine! Die mit ihrer ekelhaften Sauberkeit!

Ihm war elend zumute, und es war ihm egal, daß sich sein Zorn gegen Dinge richtete, die nicht das geringste mit seinem Kummer zu tun hatten.

»Waschmaschine!« murrte er und warf die Post auf den Tisch.

Außer der Karte waren noch Drucksachen und ein Brief für Tante Johanna gekommen.

»Na, wunderbar«, sagte die Tante, »endlich wird die Maschine repariert.«

»Kein Brief von Mami«, stellte Daniel düster fest. »Gestern nicht und heute nicht.«

»Dann hast du allen Grund, dich auf morgen zu freuen. Morgen kommt bestimmt Post für dich.« Tante Johanna ritzte ihren Brief auf, und bevor sie zu lesen begann, ermunterte sie Daniel mit einem ihrer Sprüche: »Vorfreude ist die schönste Freude.«

Daniel flüchtete in sein Kinderzimmer im ersten Stock. Seitdem er in Vaters Arbeitszimmer seine Aufgaben machte, hielt er sich tagsüber nur noch selten oben auf.

Ein halbfertiges Schnellboot aus dem Modellbaukasten stand auf dem Tisch. Manfred baute das gleiche. Sie wollten eine Wettfahrt veranstalten. Vielleicht machte Manfred das jetzt mit Günther.

Unschlüssig schlenderte Daniel im Zimmer umher, nahm Spiele und Bücher in die Hand, um sie gleich wieder hinzulegen.

Verstohlen schaute er aus dem Fenster zum Nachbarhaus. Wenn Manfred wenigstens allein wäre! Aber er hatte sich einen anderen eingeladen. So einfach ging das bei dem. Der verkrachte sich mit seinem besten Freund und nahm sich dann einen anderen.

Daniel litt, und er war sogar stolz darauf. Das bewies ihm, daß er zu echter Freundschaft fähig war.

Schließlich zog es ihn wieder in die Bibliothek zu Putt.

»Ach Putt«, seufzte er und legte seine Stirn an die Stäbe des Käfigs.

»Nanu, warum so trübsinnig?« fragte Putt. »Es war doch prima heute, oder?«

»Ja schon«, gab Daniel zu. »Aber verstehst du so was: Manfred hat einen neuen Freund.«

»Laß ihn, du hast ja auch einen neuen Freund.«

»Halim?« Daniel nickte. Er dachte daran, daß Halim ihn Bruder genannt hatte. Aber würde er Halim wiedersehen? Würde sich das, was er an diesem Nachmittag erlebt hatte, wiederholen?

Putt konnte anscheinend Gedanken lesen, denn er sagte: »Du findest Halim wieder. Er wartet auf dich.«

Das klang überzeugt. Daniel zweifelte nicht länger. Er wollte ja selbst, daß es weiterging. Halim war nicht irgendein Freund wie zum Beispiel dieser Günther. Halim brauchte ihn. Das hatte er gesagt.

Daniel fühlte sich beruhigt. Er trat vor die Landkarte von Sumatra und fuhr mit dem Finger die Form der Insel nach; Gebirge an der einen Küste, grüne Ebenen an der andern. Wo wohnte Halim – und wo waren die Eltern jetzt?

Die Landkarte aufzuheben und nach der verborgenen Tür zu schauen, wagte er nicht. Es war nicht die richtige Stunde.

5

Am Morgen des folgenden Tages kam endlich ein Brief von den Eltern. Tante Johanna las ihn vor, während Daniel frühstückte.

Die Mutter schrieb, daß der Vater jetzt zur Beobachtung der Orangs im Urwald sei. Sie selbst verbrachte einige Zeit in einem Haus hoch im Bergwald, weil es in der Stadt Medan so heiß war.

Hier gibt es Palmen und Orchideen, schrieb sie. *Ich habe einen Papagei gesehen, der unserm Putt ähnlich war. Im Garten lebt ein Beo. Das ist ein schwarzer Vogel, ein bißchen größer als ein Star. Er ist sehr lustig, weil er viele Stimmen nachahmen kann. Manchmal gackert er wie ein Huhn, und er kann pfeifen wie unser malaiischer Koch.*

Daniel trank seinen Kakao und stellte sich den Beo vor, wie er gackerte und pfiff.

»Darf ich den Brief mit in die Schule nehmen?« fragte er.

Tante Johanna steckte ihm Brief und Pausebrot in seine Schulmappe und schob Daniel zur Tür.

»Du bist ziemlich spät dran, beeile dich!«

Daniel rannte los.

Es fiel ihm an diesem Morgen schwer, in der Schule aufzupassen. Er mußte immerzu an Sumatra denken. An das, was die Mutter geschrieben hatte, und an Halim.

Er wollte ihn unbedingt wiederfinden. Heimlich kritzelte er eine ganze Heftseite voll mit *Halim*.

In der Pause zeigte er seinen Kameraden den Brief mit den Marken aus Sumatra. Manfred und Günther schauten nicht her. Sie taten, als interessiere sie das nicht.

Dann kamen die letzten zwei Schulstunden: Rechnen und Heimatkunde. Sie krochen mühsam dahin. Daniel ließ sich von seinem Banknachbarn, der eine Armbanduhr hatte, alle fünf Minuten die Zeit sagen.

Als die Schulglocke am Mittag den Unterricht beendete, stopfte er eilig seine Hefte in die Mappe und stürmte davon. Manfred und Günther schauten ihm verdutzt nach. Was war denn in den gefahren? Tags zuvor hatte er sich nach der Schule herumgedrückt und den früheren Freund aus der Ferne beobachtet. Manfred hatte das mit Genugtuung festgestellt. Sie hatten denselben Heimweg, und Daniel war ihm in einem gewissen Abstand gefolgt. War er stehengeblieben, stand auch Daniel still; drehte er sich um, blickte Daniel rasch in eine andere Richtung. Manfred hatte seinen Spaß daran gehabt, und um Daniel noch mehr herauszufordern, hatte er sich mit Günther verbündet.

Daniel rannte, so schnell er konnte, nach Hause. Er wollte unbedingt pünktlich zum Mittagessen sein, damit es um zwei Uhr keine Verzögerung gab.

»Heute bist du aber zeitig, mein Jungchen«, begrüßte ihn Tante Johanna.

»Damit du dich ganz früh hinlegen kannst«, erklärte Daniel.

Die Tante war gerührt über so viel Rücksicht. »Ich hab' dir auch was Gutes gekocht: Kalbsleber mit Kartoffelbrei.«

»Und hinterher?«

»Gebackene Bananen.«

»Mit Schlagrahm?«

»Wenn du willst, mit Schlagrahm.«

Daniel nickte befriedigt. Wenn er auch erfüllt war von dem Gedanken an seinen bevorstehenden Ausflug durch die geheime Tür, so war ihm das Essen doch nicht gleichgültig. Er begann in zwei Welten zu leben, die sehr gut nebeneinander bestehen konnten.

Während er die zarte Kalbsleber zerschnitt und gehäufte Gabeln Kartoffelbrei schaufelte, sah er Halim vor sich. Wie sollte er ihm nur klarmachen, daß er kein Teindaku war?

Aus der Küche zog der Duft von gebackenen Bananen. Daniel hörte das schabende Geräusch der Pfanne auf der Herdplatte und dann das Surren des Rahmschlägers.

Bald darauf brachte ihm Tante Johanna seine Lieblingsnachspeise. Er löffelte sie mit Genuß. Die heißen Bananen ließen den Schlagrahm schmelzen; er vermischte sich mit der goldbraunen Butter zu etwas unvergleichlich Mildem, Fettigsüßen.

Als sie fertig waren, half Daniel, den Tisch abzuräumen, und Tante Johanna bekam sogar einen Kuß auf die Wange.

Obwohl sie sich darüber freute, wehrte sie beinahe verlegen ab und sagte: »Mir scheint, die Liebe geht durch den Magen.«

Dann wuschen sie zusammen das Geschirr ab. Tante Johanna spülte, und Daniel trocknete ab. Die Küchenuhr zeigte halb zwei.

»Geht die Uhr richtig?« fragte Daniel.

»Ja, ganz genau. Ich habe sie vorhin nach der Radiozeit gestellt.«

»Legst du dich bald hin?«

»Um zwei wie immer.«

»Kannst du gut schlafen?«

»Meistens kann ich – vorausgesetzt, du störst mich nicht.«

»Vor mir bist du ganz sicher«, versprach Daniel. Er hatte selbst den dringenden Wunsch, ungestört zu bleiben.

Im Arbeitszimmer wurde er von Putt schon ungeduldig erwartet.

»Ein Leben ist das«, stöhnte der Papagei. »Ein wahrhaft unwürdiges Dasein. Da hockt man im Käfig und muß noch dazu froh sein, daß sie nicht vergessen, einem das Essen hineinzuschieben.«

»Armer Putt.«

»Und diese Beleidigungen, diese Beleidigungen!« fuhr Putt aufgeregt fort. »Zu behaupten, ich verkleckere die Bücher!«

»Tante Johanna hat ›beschmutzen‹ gesagt.«

»Beschmutzen oder verkleckern – wo ist da der Unterschied? Alles muß man hinnehmen, widerspruchslos. Oder findest du, daß sich *kraul mich, kraul mich* nach Widerspruch anhört?«

»Du hast es ihr doch ganz schön gegeben«, sagte Daniel lachend. »*Mach, daß du rauskommst*, hast du geschrien.«

»Sie nimmt mich ja nicht ernst«, beklagte sich Putt.

Statt einer weiteren Antwort nahm Daniel den Papagei aus dem Käfig und strich ihm beruhigend über das Gefieder.

Putt zwickte ihn freundschaftlich in den Zeigefinger und sagte: »Es ist mein Glück, daß deine eigene betrübliche Lage dir die Sinne verfeinert hat. Du hättest mich sonst nie verstanden, und ich wäre zeitlebens verkannt geblieben. – So, und jetzt auf! Wir vergeuden kostbare Minuten.«

Sie fanden Halim unweit der Siedlung bei einem Bambusdickicht.

»Duckt euch her zu mir«, flüsterte er und zeigte auf seine Kameraden, die vor den Hütten spielten. »Sie sollen euch nicht sehen.«

»Keine Angst«, beruhigte ihn Putt. »Das können sie gar nicht. Niemand sieht uns außer dir.«

»Ist das wahr?«

»Es ist wahr«, bestätigte Daniel. »Du hast uns gestern auch nicht gleich gesehen; erst als ich das Tigerfell umgelegt habe.«

»Du bist aus dem Fell herausgeschlüpft«, sagte Halim.

»Deshalb hältst du mich für einen Tigermenschen.«

»Bist du es denn nicht?« Besorgnis malte sich in Halims Gesicht. Er hatte seine ganze Hoffnung auf die Begegnung mit einem Teindaku gesetzt.

Daniel zögerte, dann sagte er: »Nein, ich bin kein Tigermensch, aber wenn du mich brauchst, will ich dir helfen.« Wie er das machen wollte, wußte er nicht. Er wußte nur, daß Halim einen Freund suchte, genau wie er, und daß Halim es viel schwerer hatte als er selbst.

Er sah Halims Augen aufleuchten und fühlte sich mit einem Mal mutig und stark. Jetzt hatte er ein Versprechen gegeben und wollte es halten.

Halim spürte das und vertraute ihm. Auch wenn dieser fremde Junge kein Teindaku war, so konnte er doch auf geheimnisvolle Weise aus dem Tigerfell schlüpfen und war nur für ihn allein sichtbar.

37

»Erzähl mir doch«, bat Daniel, »wie ist das gewesen mit deinem Vater? Warum glauben die Leute, daß er ein Tigermensch ist?«

Halim deutete auf die spielenden Kameraden: »Es ist besser, wir verkriechen uns. Wenn sie mich hier entdecken, kommen sie her und stören.«

Er zog Daniel tiefer in den Schutz des Bambuswäldchens. Die glatten hellgrünen Stämme wuchsen so dicht, daß sie sich Durchschlupf suchen mußten.

Als die Stimmen, die von den Hütten herüberhallten, leiser wurden, hielt Halim an. Er machte Daniel ein Zeichen, sich neben ihn auf den Boden zu hocken. Putt wählte sich einen Platz in dem zartblättrigen Geäst über ihnen.

Halims Gesicht wurde nachdenklich. Seine dunklen Augen waren halb von den Lidern verdeckt. Er hatte volle Wangen und ein zartes Kinn, eine breite kleine Nase und weiche Lippen. Sein schwarzes Haar war glatt und kurz.

»Mein Vater«, begann er. »Ich weiß selbst nicht viel von ihm. Nur was man mir erzählt hat. Ich war noch sehr klein, als er fortging. – Sie mochten ihn von Anfang an nicht, weil er aus einem weit entfernten Kampong kam, aus einer anderen Siedlung. Die Leute wollten, daß meine Mutter einen Mann aus dem eigenen Kampong nehmen sollte. Aber sie wollte Sentono heiraten, so heißt mein Vater.«

»Hat er hier gearbeitet?«

»Ja, auf der Gummiplantage. Sie waren immer mißtrauisch gegen ihn. Sie meinten, wenn einer seinen Kampong verläßt und weit weg Arbeit sucht, dann hätte er etwas zu verbergen.«

»Was denn zu verbergen?«

»Eine böse Tat oder irgend etwas Schlimmes.«

»Glaubst du das auch?«

»Nein. Pa Wirio sagt, er sei ein guter Mensch, und Pa Wirio ist weise.«

»Wer ist das?«

»Pa Wirio hat mich zu sich genommen, als ich ganz allein war. Er ist wie mein Großvater. Ich habe nur ihn.«

»Und deine Mutter?«

»Die starb, als ich noch sehr klein war. Da fing es auch an, besonders schlimm zu werden für meinen Vater.

Zu dieser Zeit überfiel fast jede Nacht ein Tiger unsern Kampong. Er brach in die Ställe ein und schlug Rinder und Ziegen. Die Männer lauerten ihm auf, aber er war schlauer als sie; er ließ sich nicht erwischen. ›Das ist kein gewöhnlicher Tiger‹, sagten sie. Eines Morgens fand man Eindrücke von Tigertatzen und die Schleifspur eines getöteten Büffels. Alle behaupteten, die Spuren führten zu unserer Hütte, und sie sagten: ›Sentono ist ein Tigermensch.‹«

»Und was glaubst du?« fragte Daniel. »Ist er wirklich ein Tigermensch?«

»Das weiß ich eben nicht genau. Pa Wirio sagt, nein. Aber vielleicht will er mir nicht die Wahrheit sagen. Schade, daß du kein Tigermensch bist. Die Teindakus kennen sich.«

»Hättest du keine Angst, wenn ich einer wäre? Teindakus sind doch böse.«

»Nicht böse, nur anders als wir. – Ist der Panther böse, wenn er vom Baum springt und den Zwerghirsch tötet? Ist der Skorpion böse, weil er sich wehrt und sticht? Jeder ist so, wie er sein muß. Ein Teindaku muß nachts jagen. Er muß, verstehst du? Er kann nichts dafür.«

Daniel sah den Freund erstaunt an. Das waren schwierige Dinge, und er sprach ganz einfach und selbstverständlich darüber.

Halim hatte seinen Blick aufgefangen und sagte: »Das erklärt mir alles Pa Wirio. Er ist immer da und erklärt mir alles.«

»Und dein Vater?« setzte Daniel seine Fragen fort. »Erinnerst du dich an ihn?«

»Nein.«

»Warum suchst du ihn?«

»Er ist mein Vater.«

»Wenn er wirklich ein Teindaku wäre?«

»Was ändert das? Er ist mein Vater.«

»Aber er hätte dich doch mitnehmen müssen, als er fortging.«

Halim schüttelte den Kopf. Er verteidigte Sentono. »Er mußte flüchten. Sie hätten ihn sonst umgebracht, und ich war noch ganz klein. Pa Wirio sagt, ich wäre unterwegs verhungert. Er konnte mich nicht mitnehmen.«

Zögernd fragte Daniel: »Wie willst du ihn finden? Ihr kennt euch ja nicht mehr.«

Als könne er jeden Zweifel damit ausschließen, wiederholte Halim zum dritten Mal: »Er ist mein Vater.«

Dagegen gab es nichts mehr zu sagen. Sie saßen nun schweigend nebeneinander.

Putt droben in den Bambuszweigen kam sich völlig vergessen vor. Er hatte die ganze Zeit über still dem Gespräch gelauscht, jetzt wollte er auch wieder zu Wort kommen. Er schüttelte sein grünes Gefieder und plusterte die rote Brust auf: »Das ist ja eine tolle Geschichte. Ich finde, wir sollten uns sofort aufmachen, um Sentono zu suchen.«

»Ich bringe euch erst zu Pa Wirio«, erklärte Halim. »Er muß euch kennenlernen.«

40

»Was hat das für einen Sinn? Er kann uns ja nicht sehen«, wandte Daniel ein.

»Pa Wirio *wird* euch sehen«, sagte Halim mit Überzeugung.

»Gib ihm das Tigerfell«, riet Putt. »Beim ersten Mal ist es vielleicht nötig.«

»Gut«, sagte Halim. »Ich hole es.«

Er stand auf und führte sie aus dem lichtgrün-schattigen Bambusdickicht zurück in die sengende Hitze der Dorfstraße.

Eine Frau stand an ihrer Kochstelle und rührte in einem kupfernen Reiskessel. Eine andere breitete auf einer Bastmatte Fische zum Trocknen aus. Die Kinder spielten und lärmten noch immer.

»Ajo, Halim!« riefen sie, »mach mit! Wir spielen Jäger und Tiger.«

Obwohl Daniel gesagt hatte, daß die andern ihn nicht sehen konnten, beeilte sich Halim, mit ihm an seinen Kameraden vorbeizukommen.

»Na, was ist?« drängten die Kinder.

»Ich muß zu Pa Wirio«, sagte Halim. »Und außerdem mache ich kein Tigerspiel mehr.«

Erstaunt blickten ihm die anderen nach, als er ohne weitere Erklärung davonlief.

6

Pa Wirio sah nur kurz auf und nickte, als Halim mit Daniel und Putt in die Hütte trat. Er war gerade dabei, Tabak und eine Palmnuß mit einem Pfefferblatt zu umwickeln. Dann schob er das Ganze in den Mund und kaute bedächtig darauf.

Daniel hatte das Tigerfell umgelegt. Er blickte scheu zu Boden und wartete. Putt hockte ihm auf der Schulter; die leise Bewegung der schwieligen Zehen des Vogels empfand Daniel als beruhigend.

Eine ganze Weile saß Pa Wirio kauend in sich gekehrt, dann sagte er: »Du hast einen Freund gefunden, Halim. Jetzt kannst du dich auf die Suche nach Sentono machen.«

Halim schaute Daniel bedeutungsvoll an, als wollte er sagen: Siehst du, Pa Wirio weiß alles, noch bevor man davon spricht.

»Er kam aus dem Tigerfell, er ist mein Bruder«, erklärte er.

Jetzt betrachtete Pa Wirio Daniel prüfend.

»Ihr seid Brüder wie das Krokodil und der Waran, ähnlich und doch nicht gleich. Das Krokodil lebt im Wasser, der Waran auf dem Land.«

Daniel hatte erwartet, daß Pa Wirio Fragen stellen würde, daß er wissen wollte, woher er käme und wer er wäre. Aber offenbar brauchte man Pa Wirio nichts zu erklären, er schien alle Antworten in sich selbst zu finden.

Seine schweren Lider, die seine Augen nur zur Hälfte freigaben, hoben sich ein wenig. »Wer aus der Ferne kommt wie er, muß einen Grund haben.«

»Ja, Pa Wirio«, rief Halim eifrig. »Er hat es schon gesagt. Er wird mit mir gehen, den Vater zu suchen.«

Daniel wollte einwenden, daß er einen ganz anderen Grund gehabt hatte, hierherzukommen, aber er besann sich und schwieg. Er konnte doch nicht erzählen, daß seine Eltern verreist waren und daß es ihm schwer war, allein zu bleiben. Das kam ihm mit einem Mal ganz unbedeutend vor.

»Ajo, Daniel.« Halim holte ihn aus seinen Gedanken

zurück. »Wir werden Sentono finden.« Und zu Pa Wirio sagte er: »Aber ein Teindaku ist er nicht.«

Pa Wirio wiegte den Kopf: »Er ist von anderer Art als ein Teindaku. Trotzdem hat er die Gabe zur Verwandlung.«

Und Halim wiederholte: »Er kam aus dem Tigerfell.«

Putt begann ungeduldig auf Daniels Schulter zu treten. »Von mir spricht niemand«, beklagte er sich. Damit erreichte er, daß sich ihm alle zuwandten.

»Putt ist nämlich hier aus dem Ei geschlüpft«, erklärte Daniel. »Er hat mir auch den Weg gezeigt.«

»Die Sehnsucht treibt Menschen und Tiere weit«, sagte Pa Wirio.

Er saß jetzt in sich gekehrt auf seiner Bastmatte am Boden. Daniel wagte zum ersten Mal, ihn richtig anzusehen. Seine hagere Gestalt war nach alter Sitte mit dem Sarong und einer kurzen Jacke bekleidet. Der Sarong, ein vielfarbig gemustertes Tuch, das um seine Hüften geschlungen war, reichte ihm bis zu den bloßen Füßen. Über das Gesicht mit den kräftigen Backenknochen spannte sich die Haut olivbraun und vom Alter zerfurcht.

Putt schlug mit den Flügeln und wollte gerade wieder anfangen zu sprechen, als draußen hastige Tritte hörbar wurden. Jemand erklomm die Leiter zur Hütte, die Matte am Eingang wurde zur Seite gerissen. Ein Mann erschien auf der Schwelle. Schwer atmend stand er da. Seine rechte Hand umklammerte einen Dolch.

»Mudin«, stieß er hervor. »Dieser Mudin! Wenn es wahr ist, was die Leute sagen, muß er sterben.«

Pa Wirio blickte den erregten Mann ruhig an. »Setz dich, Wasub, und stecke den Kris in den Gürtel. Mit gezückter Waffe kann man nicht reden. – Oder bist du nicht gekommen, um mit mir zu reden?«

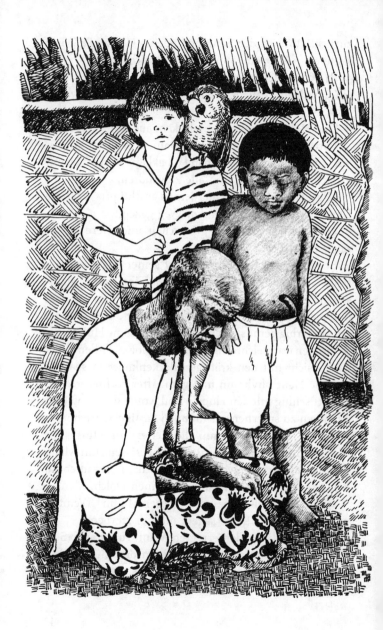

»Ich bin gekommen, um zu erfahren, was die Wahrheit ist.«

»Setz dich«, forderte Pa Wirio ihn nochmals auf.

Halim hatte sich in einen Winkel gedrückt. Wasub hockte sich auf eine Matte und sprudelte seinen Bericht hervor.

»Mudin war mein Freund. Von Kindheit an. Du weißt es, Pa Wirio. Wir waren beide gleich geschickt im Lanzenspiel, wir haben zusammen den Panther gejagt und junge Elefanten gezähmt. Wir sind mit dem Boot durch den Fluß gefahren und haben den Fang geteilt, Pa Wirio. – Ist es wahr, daß Mudin Böses über mich redet?«

»Wer behauptet das?« fragte Pa Wirio.

»Sidin, Dullah, Perak – alle.«

»Und was sagt Mudin?«

»Er sagt, daß sie lügen.«

»Glaubst du deinem Freund Mudin nicht mehr als den anderen?«

»Ich will nicht glauben. Ich will wissen, was wahr ist.«

»Was könnte dir das nützen?«

»Wenn er unsere Freundschaft verraten hat, werde ich ihn töten.«

Pa Wirio hob beschwichtigend die Hände. »Sprich nicht gleich von Verrat. Auch der beste Freund ist nicht in jedem Augenblick ein Freund. Manchmal ist es besser, nicht alles genau zu wissen. – Kennst du die Geschichte von dem Krokodil-Ei?«

»Ich will wissen, was wahr ist«, murrte Wasub.

»Hör trotzdem zu. Vielleicht erkennst du durch die Geschichte, was klug ist:

Ein Fischer brachte eines Tages ein Krokodil-Ei nach Hause. Er gab es seinem kleinen Sohn zum Spielen in die

Wiege. In der Nacht jedoch schlüpfte aus dem Ei ein Knabe, der dem Kind des Fischers aufs Haar glich. Der Fischer war zufrieden, zwei Söhne zu haben, aber der Mutter ließ es keine Ruhe. Sie wollte wissen, welches ihr eigenes und welches das Krokodilkind war. ›Laß uns die Knaben an den Fluß bringen‹, schlug sie vor. ›Wer von den beiden besser schwimmen kann, ist das Krokodilkind.‹

Der Fischer gab nach und brachte die Kinder zum Fluß. Das eine blieb nahe beim Ufer, das andere schwamm weit hinaus. Es verwandelte sich alsbald in ein Krokodil und kam nie mehr zurück. Da sprach der Fischer: ›Jetzt kennen wir die Wahrheit, aber was nützt sie uns? Wir haben ein liebes Kind verloren.‹«

Wasub hatte die Geschichte angehört; erst widerwillig, dann mit steigender Aufmerksamkeit. Nachdem Pa Wirio geendet hatte, saß Wasub lange Zeit schweigend da. Er wog seinen Kris auf der flachen Hand. Schließlich steckte er ihn mit einer raschen Bewegung in den Gürtel, erhob sich und ging mit dem Gruß »Tabeh« hinaus.

»Tabeh«, sagte auch Pa Wirio. Er lauschte den Schritten nach, die sich rasch verloren.

Vorsichtig kam Halim aus seiner Ecke hervor. »Was wird Wasub jetzt tun?« fragte er.

»Er hat schon begonnen nachzudenken«, antwortete Pa Wirio.

»Aber sein Blick ist wild. Er hat einen heißen Kopf.«

»Nachdenken macht kühl und besonnen. Wasub wird seinen Freund Mudin nicht töten.«

Halim sah den alten Pa Wirio strahlend vor Bewunderung an. »Nun?« rief er Daniel zu. »Was sagst du jetzt? Das ist Pa Wirio!«

Bei dem plötzlichen Erscheinen des fremden Mannes hatte sich Daniel zusammen mit Halim versteckt. Er hatte das Tigerfell abgeworfen; Wasub konnte ihn nicht sehen. Trotzdem hatte ihm der gezückte Dolch Angst gemacht. Jetzt traute er sich wieder hervor.

»Dieser schreckliche Dolch«, flüsterte er.

»Das war ein Kris«, erklärte Pa Wirio. »Jeder Mann hat bei uns einen Kris. Man trägt ihn im Gürtel – hier!« Pa Wirio zog seinen Kris, der in einer hölzernen Scheide auf der rechten Rückenseite im Gürtel steckte. Der Dolch war zweischneidig scharf geschliffen und hatte eine flammenartig gewellte Klinge. Sein Griff stellte einen Vogelkopf dar, aus Holz geschnitzt und mit Messing verziert.

»Ein Kris ist nicht nur eine Waffe. Er kann auch Glück oder Unglück ankündigen«, sagte Pa Wirio.

»Zeig ihm, wie das geht«, bat Halim.

Pa Wirio nahm den Griff des Dolches in drei Finger und setzte die Spitze behutsam auf den Fußboden. Eine Weile pendelte er das Gleichgewicht aus und ließ dann vorsichtig los: der Kris stand mit seiner Spitze senkrecht auf dem Boden.

Daniel staunte ihn an.

»Jetzt auf den Griff«, verlangte Halim.

Pa Wirio drehte den Kris um und balancierte ihn ebenso vorsichtig auf dem Griff mit dem Vogelkopf aus, bis er allein stehenblieb.

»Und wie erkennt man Glück oder Unglück?« fragte Daniel.

»Wenn ich das Orakel befragen will, muß ich das gleiche tun, was du eben gesehen hast: den Kris auf Spitze und Griff stellen. Ist mein Vorhaben schlecht, dann fällt er um wie ein gewöhnliches Messer. Ebenso,

47

wenn es um Menschen geht, die mir böse gesonnen sind.«

»Hast du das schon oft ausprobiert?« wollte Daniel wissen.

»Früher brauchte ich seinen Rat, jetzt nicht mehr. Ein Mensch, der so alt ist wie ich, muß auf das eigene Urteil vertrauen können. Sonst ist er sein langes Leben nicht wert.«

Pa Wirio war gewöhnt, mit Halim zu sprechen wie mit einem Erwachsenen. Daniel mußte sich Mühe geben, alles zu begreifen. Er hatte über solche Dinge nie nachgedacht. Er hatte nie überlegt, wie das war mit dem eigenen Urteil oder dem langen Leben.

Der alte Pa Wirio spürte seine Verwirrung. Er sagte: »Genug geredet! Klettere auf die Kokospalme, Halim, und schlage ein paar Nüsse ab.«

»Endlich wird's lustig«, ließ Putt sich vernehmen. Er fand, daß die Menschen sich viel zu wichtig nahmen. »Frische Kokosnüsse sind eine Delikatesse. Ich fliege schon voraus.«

Er schwang sich von Daniels Schulter und glitt durch die schmale Öffnung zwischen Türpfosten und Bastvorhang ins Freie.

Halim faßte Daniel bei der Hand und zog ihn mit hinaus. Daniel stolperte hinter ihm her die schmale Leiter hinab.

Es ging am Ziegenhaus vorbei, das jetzt leer stand, denn die Ziegen und Hühner suchten sich am Tag ihren Platz im Schatten der Mandarinenbäume.

Auch die Kinder waren wieder da, aber sie ließen Halim diesmal in Ruhe. Die Knaben hatten zwei Parteien gebildet und machten ein Ballspiel. Ein Ball, der aus den biegsamen Sprossen der jungen Rotang-Palme geflochten war, wurde in die Luft gekickt. Die Spieler der beiden Parteien mußten abwechselnd schießen; der Ball durfte den Boden zwischendurch nicht berühren.

Ein Stück weiter hatten sich die Mädchen eine Schaukel in einen Baum gehängt, andere schubsten am Boden kleine Steinkugeln.

»Komm«, drängte Halim, weil Daniel überall zuschauen wollte. »Wir holen lieber Kokosnüsse. Kannst du auf Palmen klettern?«

Daniel mußte zugeben, daß er das nicht konnte. Voller Bewunderung beobachtete er Halim.

Die Kokospalme ragte hoch auf.

In ihren Stamm waren stufenartige Kerben eingehauen. Halim setzte seine Füße in die Kerben, umfaßte mit beiden Händen den Stamm und kletterte behende senkrecht bis in den Palmwipfel.

Die großen Nüsse saßen dicht am Stamm unter den Blättern.

Der Papagei war längst hinaufgeflogen, schaukelte auf einem Palmblatt und beäugte aus seitlich gelegtem Kopf Halims Kletterei. Diese Kunstfertigkeit machte aber keinen Eindruck auf ihn, und als Halim oben angelangt war, krächzte er: »Na ja, ganz hübsch – fliegen ist besser.«

»Wa waj«, rief Halim lachend. »Wenn ich ein Papagei wäre und gern eine Kokosnuß hätte, hielte ich meinen Schnabel.«

Putt schnarrte zwar noch ein bißchen vor sich hin, aber er sah ein, daß es klüger war, nicht zu spotten. Es war ihm wirklich noch nie gelungen, selbst eine Kokosnuß aufzuhacken, und er aß sie für sein Leben gern.

Inzwischen hatte Halim sein Haumesser aus dem Gürtel gezogen und begann, Nüsse abzuschlagen.

»Achtung!« schrie er. »Zurücktreten, wer keine Beule haben will!«

Der Boden unter der Palme war weich. Die Nüsse federten beim Aufschlagen und blieben unbeschädigt.

Putt zählte mit. Nach der dritten Kokosnuß machte Halim Anstalten, wieder hinunterzuklettern.

»Es langt noch nicht«, erklärte Putt. »Wir brauchen vier.«

»Vier?« neckte Halim den Papagei. »Wir sind doch nur drei: Pa Wirio, Daniel und ich.«

»Und ich? Ooh krrrrh, ooh krrrrh!« Putt überschlug sich vor Empörung. »Mißachtung überall. Fern von hier muß ich die Beleidigungen von Tante Johanna erdulden, und in meiner Heimat... ooh krrrh!«

»Putt, Puttchen«, versuchte Daniel von unten zu trösten. »Du kriegst die Hälfte von mir ab.«

Aber da plumpste schon die vierte Kokosnuß zur Erde, und mit Gelächter rutschte Halim am glatten Stamm der Palme herab.

»Lümmel, Bengel, Lauskerl«, zeterte Putt ihm nach. Es klang beinahe wie sein angelerntes Geschwätz im Käfig.

Halim schlug die Nüsse in ein Tuch ein, hängte es sich über die Schulter und wollte mit Daniel davonlaufen, aber Daniel schaute besorgt nach seinem Putt, der schimpfend in der Kokospalme herumturnte.

»Ich kann ihm nicht weglaufen. Vielleicht findet er mich nicht.«

»Der findet dich bestimmt, komm nur.«

Zögernd entschloß sich Daniel, Halim zu folgen. Immer wieder blickte er sich um. Von Putt im hohen Palmwipfel war bald nichts mehr zu sehen. Kaum hatten die beiden Knaben jedoch die Mandarinenbäume vor Pa

Wirios Hütte erreicht, schoß Putt wie ein grüner Pfeil an ihnen vorbei und schlüpfte durch den Eingang. Als Daniel und Halim gleich darauf ankamen, tat er so ungeduldig, als warte er seit Stunden.

Halim nahm jetzt die erste Nuß, bohrte zwei Löcher in die dünnere Schale an den Keimstellen und reichte sie Pa Wirio. Die nächste bekam Daniel, dann bohrte er eine Nuß für sich selbst auf.

Sie hoben ihre Früchte an den Mund und tranken die Kokosmilch aus. Sie schmeckte süß und war trotz der Hitze wunderbar kühl.

Putt mußte warten, bis die Nüsse vollends aufgeschlagen wurden.

»Jetzt aber!« rief er, gierig vor Erwartung. Er hatte inzwischen an seiner Nuß herumgeknabbert, bekam aber nur die strohigen Fasern in den Schnabel.

»Sabar«, sagte Halim. »Du sollst als erster drankommen.« Er nahm Putts Kokosnuß und schlug sie mit dem Parang, seinem Haumesser, mittendurch. Der Papagei stürzte sich auf die geöffnete Nuß, deren Saft in den Ritzen des Fußbodens versickerte.

Als Daniel aus den aufgeschlagenen Hälften seiner Kokosnuß Stücke herausbrechen wollte, merkte er, daß das Fruchtfleisch nicht hart war, sondern weich-wabbelig wie ein Pudding.

Pa Wirio erklärte ihm: »Junge Kokosnüsse sind immer so. Sie schmecken am besten, du wirst sehen.«

Dann wurde es still in Pa Wirios Bambushütte. Alle vier hockten auf dem Boden und waren vollauf mit ihren Nüssen beschäftigt.

Gut war das«, sagte Daniel. Er stand auf, weil er seine Beine ausstrecken mußte. Halim und Pa Wirio konnten

»lange Zeit in hockender Stellung verharren; Daniel schliefen dabei die Füße ein. Er beschloß, das zu Hause zu üben.

»Zeig mal dein Messer«, bat Daniel.

Halim reichte ihm den Parang. Es war ein leicht sichelförmig gekrümmtes Werkzeug.

»Damit kann man viel machen«, sagte Halim. »Harte Sachen aufschlagen, sich einen Weg durch den Urwald bahnen . . .«

»Durch den Urwald?« unterbrach Daniel.

»Man haut die Schlingpflanzen und das Gestrüpp einfach durch. Das zeige ich dir schon noch. – Mein Vater Sentono hat einmal eine Anakonda damit getötet, nicht wahr, Pa Wirio?«

»Anakonda? Ist das eine Schlange?«

»Eine Riesenschlange. Wenn er nicht schnell zugeschlagen hätte, wäre er verloren gewesen . . .«

»Ist die Anakonda giftig?«

»Nein, aber sie hat ungeheure Kräfte. Sie umklammert ihren Gegner und erwürgt ihn.«

»Puuh«, machte Daniel. »Da wohne ich aber lieber in der Stadt. – Warst du schon mal in einer Stadt?«

»Ich nicht, aber Pa Wirio.«

»Der Tuan Doktor nimmt mich manchmal in seinem Jeep mit«, mischte sich Pa Wirio in ihre Unterhaltung. »Dann fahren wir nach Medan. Das ist eine Stadt mit einem Flugplatz.«

»Medan?« rief Daniel. »Da sind meine Eltern hingeflogen.«

»Und du willst auch dorthin.« Es klang halb wie eine Feststellung, halb wie eine Frage.

»Nein . . . eigentlich ja, aber das nützt nichts«, stammelte Daniel.

52

»Deine Eltern?« fragte Halim.

»Sie sind nach Medan geflogen«, wiederholte Daniel. »Wo sie jetzt sind, weiß ich nicht genau. Und es ist mir auch ganz gleich. Ich will mit Halim gehen. Seinen Vater suchen.«

Halim freute sich und nickte ihm zu.

»Wann gehen wir?« fragte Daniel. Er hatte es mit einem Mal eilig.

Pa Wirio hob abwehrend die Hände. »Sabar, Sabar, Geduld! Ihr müßt die richtige Zeit abwarten.«

»Wann ist die richtige Zeit?«

»Wenn sie da ist, werden wir es wissen.«

»So ist es«, warf Putt ein. Er hatte die letzten Reste von den Schalen der Kokosnuß geschabt und meldete sich jetzt wieder zu Wort. »Geduld ist eine gute und wichtige Eigenschaft. Was wäre aus mir geworden ohne Geduld? Sabar, habe ich mir gesagt, als ich hinter den Gitterstäben hockte. Sabar, eines Tages wird das anders. Und bitte, es ist anders geworden.«

Zum Beweis der Richtigkeit seiner Worte flog er eine Runde durch den Raum und setzte sich dann auf Daniels Schulter.

»Allerdings ist die Freiheit begrenzt«, fuhr er fort. »Für Daniel und mich schlägt schon wieder die Stunde. Wir müssen zurück.«

»Schon?« rief Daniel.

»Leider«, antwortete Putt.

»Woher weißt du nur immer so genau, wann unsere Zeit um ist?«

Putt lachte knarzend. »Ich spüre es in allen Knochen, wenn diese Tante Johanna im Anmarsch ist.«

»Auf morgen also«, sagte Daniel.

»Tabeh«, riefen ihm Halim und Pa Wirio nach.

7

Den weiteren Nachmittag verbrachte Daniel in Vaters Arbeitszimmer. Leise redete er mit Putt über alles, was sie erlebt hatten.

»Wenn Manfred das wüßte!« sagte er.

Manfred! – Da war schon wieder der dumme Gedanke an Manfred.

»Der ist mir egal, den brauche ich nicht mehr«, grollte Daniel vor sich hin. Aber dann trat er doch ans Fenster, um nachzusehen, was es drüben im Nachbarhaus gab. Er konnte niemanden entdecken.

Entweder er lernt, überlegte Daniel, oder er ist zu seinem neuen Freund Günther gegangen.

Angestrengt spähte er hinüber. Manfreds Zimmer lag im Schatten. Der Blick konnte nicht tief eindringen. Nur das Schnellboot aus dem Modellbaukasten konnte Daniel erkennen. Es stand auf dem Fensterbrett, und er stellte erleichtert fest, daß Manfred noch nicht weiter daran gearbeitet hatte. Offenbar interessierte sich Günther nicht für Schiffsbau und Wettfahrten.

Aber irgend etwas unternahmen die beiden zusammen, das war klar, und er war davon ausgeschlossen.

Daniels Gedanken schweiften ab. Die Geschichte vom Krokodil-Ei fiel ihm ein. »Es ist nicht immer gut, alles genau zu wissen«, hatte Pa Wirio gesagt. Pa Wirio hatte es leicht; er war weise und sehr alt. – Aber Wasub? Wieso hatte sich dieser wilde Wasub durch eine Geschichte umstimmen lassen?

Daniel grübelte darüber nach, und er begann zu begreifen, was Pa Wirio dem aufgeregten Wasub sagen wollte: Selbst den besten Freund kannst du nicht ganz durchschauen. Er hat dunkle Seiten wie jeder Mensch. Versuche nicht, alles zu ergründen.

Das Krokodilkind war fortgeschwommen für immer, nur weil die Frau an ihm zweifelte. Und dabei wäre es ein liebes Kind gewesen, an dem sie Freude gehabt hätte.

Wieder schaute Daniel hinüber zu Manfreds Zimmer. Jetzt konnte er eine Gestalt darin erkennen. Es war Manfred, er kam ans Fenster und betrachtete sein halbfertiges Boot. Als er Daniel entdeckte, trat er schnell wieder in den Schatten des Zimmers zurück.

Auch beim Abendbrot kreisten Daniels Gedanken noch um das, was er von Pa Wirio gehört hatte.

Aufmerksam betrachtete er Tante Johanna. Ob sie so alt war wie Pa Wirio? Er hätte gern gewußt, wie er das vom langen Leben gemeint hatte.

»Wie alt bist du eigentlich, Tante Johanna?« fragte er.

»Eine Dame fragt man nicht nach ihrem Alter«, antwortete die Tante.

»Aber du bist schon alt«, beharrte Daniel.

»Nun ja, jung bin ich leider nicht mehr.«

»Glaubst du, daß du dein Leben wert bist?«

»Ob ich mein Leben wert bin? Wie soll ich das verstehen?«

Die Tante blickte ihn ratlos an.

»Ich weiß es auch nicht. Deshalb frage ich dich ja.«

»Wie kommst du nur auf solche Gedanken?« wollte Tante Johanna wissen.

Von Pa Wirio konnte Daniel unmöglich sprechen, deshalb sagte er: »Das habe ich mal gelesen.«

Tante Johanna schüttelte mißbilligend den Kopf.

»Mein lieber Junge, mir scheint, du liest zuviel in den Büchern deines Vaters. Das ist noch nichts für ein Kind in deinem Alter.«

Daniel gab es auf, mit Tante Johanna über den Wert ihres Lebens zu reden.

»Hast du wenigstens schon mal eine Anakonda gesehen?« fragte er.

Mit dem Wechsel auf dieses neue Thema stürzte er die Tante in weitere Verwirrung.

»Eine Anna... was?«

»Anakonda. Das ist eine Schlange. Eine ganz riesige mit riesigen Kräften.«

»Gibt's die etwa in Sumatra?«

»Natürlich. Schau, so groß sind die.« Er stand auf und schritt im Zimmer etliche Meter ab. »Vom Tisch bis hier.«

»Entsetzlich. Wenn ich an deine armen Eltern denke!«

»Da brauchst du keine Sorge zu haben. Die Mami geht nicht in den Urwald, und Vater hat einen Parang – das ist ein Haumesser, weißt du. Damit haut er die Schlingpflanzen durch und schlägt jede Anakonda mitten entzwei.«

Tante Johanna konnte solche Gespräche nicht leiden. Alles, was nach Kampf, Gefahr und Grausamkeit aussah, war ihr verhaßt.

»Bist du fertig mit den Hausaufgaben?« lenkte sie ab.

»Ich habe Rechnen und Deutsch gemacht.«

»Habt ihr sonst nichts aufbekommen?«

»Nein.«

»Dann räume bitte noch dein Zimmer auf.«

»Heute abend noch? Lieber morgen.«

»Heute!« bestimmte die Tante.

Sie hob ihren Zeigefinger und deklamierte wieder eines ihrer Sprichwörter: »Was du heute kannst besorgen, das verschiebe nicht auf morgen.«

In solchen Augenblicken war Daniel nahe daran, »blabla« zu sagen oder sonst irgend etwas Ungehöriges. Warum er es unterdrückte, wußte er selbst nicht genau. Vielleicht weil er so erzogen war, oder weil ihm die Tante leid tat. Vielleicht auch, weil er keinen Mut dazu hatte. Er wünschte sich manchmal, mehr Mut zu haben. Blabla! Ganz laut müßte er es sagen.

So aber stieß er nur die Luft durch die Nase aus und rannte zornig aus dem Zimmer. Er lief die Treppe hinunter in den Garten.

Gerade war Manfreds Vater nach Hause gekommen. Er schloß die Garage ab und ging über die roten Sandsteinplatten zur Haustür. Auf halber Strecke bemerkte er Daniel und hob die Hand.

»Hallo, Daniel! Wo steckst du denn die ganze Zeit? Man sieht dich gar nicht mehr.«

Daniel murmelte etwas von »Tante Johanna helfen«, aber Manfreds Vater erwartete keine genaue Auskunft.

»Hast du Nachricht von deinen Eltern?« fragte er.

»Heute ist ein Brief gekommen«, antwortete Daniel.

»Was ist mit den Orang-Utans? Hat dein Vater schon welche entdeckt?«

»Er ist noch unterwegs, schreibt die Mami. Im Urwald.«

»Vertragen deine Eltern denn diese mörderische Hitze? Für mich wäre so ein Klima nichts«, brummelte der Nachbar. »Übrigens, Daniel, du fährst doch mit am Sonntag?«

»Wohin?« fragte Daniel unsicher.

»Hat dir Manfred nichts gesagt? Ich fahre mit einigen

aus eurer Klasse zum Ponyhof. Ponyreiten mit anschließendem Picknick.«

»Ach so.« Daniel blickte starr auf einen erbsenrunden Kiesel zu seinen Füßen.

»Es wird bestimmt lustig«, sagte Manfreds Vater und wandte sich zum Gehen.

»Ich kann aber leider nicht«, rief Daniel mit Anstrengung über den Zaun. »Wir haben schon was vor, Tante Johanna und ich.«

»Schade! Na, dann vielleicht ein andermal. Gute Nacht, Daniel.«

»Gute Nacht«, grüßte Daniel leise zurück.

Ponyreiten! Den ganzen Abend über konnte Daniel an nichts anderes denken.

Beim Aufräumen seines Zimmers stopfte er alles wahllos in irgendwelche Schubladen.

Das Schnellboot ließ er bis zuletzt stehen. Alle möglichen Gefühle stürmten auf ihn ein, als er das Boot betrachtete. Sollte er es überhaupt weiterbauen? Was hatte es für einen Sinn, wenn er doch keine Wettfahrten mit Manfred machen konnte.

Ich schmeiße es weg, beschloß er und wußte im gleichen Augenblick, daß er das nicht fertigbrachte.

Dann mache ich's kaputt, überlegte er. Als er ein Stückchen Reling abgebrochen hatte, nur um zu sehen, wie das ist, hielt er erschreckt inne. Er versuchte, es wieder einzusetzen; es haftete natürlich nicht mehr. Daniel sah sich nach Kleber um, aber der war aufgebraucht. Behutsam legte er das abgebrochene Gitterstück auf das Bootsdeck und stellte das Boot in den Schrank.

Später beim Gutenachtsagen erklärte Daniel der verblüfften Tante Johanna, daß er beabsichtige, am Sonntag etwas Außergewöhnliches zu unternehmen. Etwas ganz Außergewöhnliches. Mindestens einen Rundflug über die Stadt im Hubschrauber.

Die Tante versuchte ihm klarzumachen, daß sie ihm das ohne Zustimmung seiner Eltern nicht erlauben dürfe.

»Außerdem kostet das eine Menge Geld«, fügte sie hinzu.

»Weißt du was Billigeres?« fragte Daniel. »Aber es muß was Besonderes sein. Am besten Hubschrauber.«

Tante Johanna ließ sich seufzend auf Daniels Bettkante nieder, und es entspann sich ein längeres Streitgespräch über die Frage: Warum nicht Hubschrauber?

Schließlich machte die Tante einen Gegenvorschlag:
»Wir fahren auf den Fernsehturm.«

»In das Restaurant, das sich dreht?«

»Ja.«

»Und essen dort zu Mittag?«

»Das wäre doch eine gute Idee. Dann brauche ich am Sonntag nicht zu kochen.«

»Aber so hoch, wie ein Hubschrauber fliegt, ist es nicht«, wandte Daniel ein.

»Immerhin hoch über der Stadt.«

Daniel begann sich für die Vorstellung zu erwärmen, daß er in dem schicken Restaurant zu Mittag essen würde. Bisher kannte er es nur vom Erzählen.

Ob es soviel wert war wie Ponyreiten? Bestimmt. Nur mußten auch die andern davon erfahren. Gleich morgen wollte er es in der Klasse verkünden. Da würde Manfred aber Augen machen!

»Also gut, Fernsehturm«, entschied er.

Tante Johanna strich ihm erleichtert übers Haar,

löschte das Licht und ging mit sanften Schritten aus dem Zimmer.

Am Sonntagvormittag war Manfred schon früh im Garten. Daniel stand hinter dem Vorhang und beobachtete ihn. Fast schien es, als warte Manfred darauf, daß er herunterkäme, aber Daniel ließ sich nicht blicken.

Ab elf Uhr quälte er die Tante, aufzubrechen.

»Es ist noch viel zu früh«, wehrte sie ab. »Wir haben ja gerade erst gefrühstückt.«

So kam es, daß Daniel hinter der Gardine versteckt zusehen mußte, wie Günther mit zwei anderen aus der Klasse bei Manfred klingelte, wie alle zusammen eine Weile herumlärmten und dann im Auto davonfuhren.

Daniels Begeisterung für das Restaurant auf dem Fernsehturm war dahin. Er hatte keine Lust, schick zu essen. Ein Ausflug mit seinen Klassenkameraden, ein Wurstbrot aus der Hand wäre ihm lieber gewesen.

Gegen Mittag kam Tante Johanna in sein Zimmer. Sie war zum Fortgehen bereit.

»Freust du dich?« fragte sie.

»Ja.« Daniel bemühte sich, seiner Stimme einen fröhlichen Klang zu verleihen.

Sie nahmen den Bus zur Stadtmitte, um dort die U-Bahn Richtung Fernsehturm zu nehmen.

Daniel hatte aufgehört, an Manfred und den Ponyhof zu denken; er hatte überhaupt aufgehört zu denken.

Straßen und Haltestellen zogen vorüber. Er lief über den sonnenheißen Rathausplatz und stolperte die Treppen hinab in die neonbeleuchtete U-Bahn-Station. Der Zug donnerte heran: Elektrisch gesteuerte Türen gingen auf, Einsteigen, Geschiebe zwischen fremden Leuten, Türen zu.

Tante Johanna setzte sich auf eine Bank mit blauem Kunstlederbezug. Daniel blieb stehen, die rechte Hand an einer verchromten Stange. Es ratterte und ruckte in den Kurven, dunkle Schächte öffneten sich, Schienen liefen zusammen, Bahnhöfe leuchteten auf, Gesichter erschienen an den Scheiben, drängten herein.

An der Haltestelle »Olympiastadion« wurde Daniel von Tante Johanna sanft durch die Tür geschoben und über eine Rolltreppe hinauf ins Freie geführt.

Erst im Lift des Fernsehturms erwachte er aus seinem traumhaften Zustand.

In Sekundenschnelle wurden sie vom Erdgeschoß auf die große Plattform mit dem Restaurant befördert.

Es war ein kreisrunder Raum mit Fensterscheiben ringsum.

Der äußere Teil, auf dem die Tische standen, drehte sich langsam und beständig.

Die Mitte war unbeweglich. Dort hantierten die Kellner hinter einer Wand mit Schüsseln und Platten. Mit geübtem Schritt wechselten sie von der feststehenden Scheibe auf den sich drehenden Ring.

Daniel zog die Tante an einen Tisch direkt am Fenster.

Unter ihnen breitete sich die Stadt aus. Vororte lagen im Grünen, Felder schlossen sich an, weiter entfernt die Berge.

Für die nächste Stunde war Daniel glücklich. Zwischen Rahmschnitzel und Karamelcreme zählte er von oben die Brücken über dem Fluß, suchte den goldenen Engel auf der Säule und beobachtete den Start von Flugzeugen. Erst als sich die Tante eine Tasse Kaffee bestellte, kam ihm blitzartig Putt und die Nachmittagsstunde in den Sinn.

»Wieviel Uhr haben wir, Tante Johanna?«

»Es ist kurz nach zwei.«

»Schon nach zwei?« rief Daniel entsetzt. Und weil die Tante ihn erstaunt ansah, fügte er hinzu: »Ich meine wegen deiner Mittagsruhe.«

»Heute schlafe ich nicht«, erklärte Tante Johanna. »Bis wir nach Hause kommen, lohnt es sich nicht mehr.«

Ach Putt! dachte Daniel. Er hatte ihm nicht gesagt, daß er fortgehen würde. Den ganzen Vormittag hatte er sich nicht um ihn gekümmert.

»Können wir nicht ganz schnell heimfahren?« bat er. »Putt hat noch kein Futter. Ich hab' ihn heute richtig vergessen.«

»Er wird nicht gleich verhungern«, meinte die Tante. »Es sind ja immer genug Körner im Käfig. – Ich finde, wir sitzen hier wunderschön, wir sollten noch bleiben.«

Aber Daniel hatte keine Ruhe mehr, er drängte zu einem überstürzten Aufbruch.

Während sie im Lift nach unten glitten, dachte die Tante, daß sie wohl doch zu alt wäre für so einen lebhaften Jungen. Sie fühlte sich nicht mehr beweglich genug, um ständig ihre Pläne zu ändern. Den Kaffee hatte sie nur deshalb getrunken, um munter zu bleiben, denn sie hatte anschließend noch einen Spaziergang mit Daniel machen wollen.

Jetzt fuhren sie also auf dem direkten Weg nach Hause, und Daniel verschwand sofort in Vaters Arbeitszimmer.

»Putt«, sagte er schuldbewußt.

Zu seinem Erstaunen schimpfte Putt ihn nicht aus. Er sagte nur: »Ich versteh' schon. Wenn sie dir vor den Augen fortfahren zum Ponyreiten . . .!« Und dann setzte er tröstend hinzu: »Laß sie nur, dafür hast du Halim.«

Daniel nickte. Mit Halim war es bestimmt viel schöner als mit diesem Günther. Aber es gab einen entscheidenden Unterschied: Manfred konnte Günther zu sich einladen, er konnte Daniel diese neue Freundschaft vor Augen führen. Halim hatte er nur ganz für sich allein. Manfred würde nie eifersüchtig werden auf ihn.

»Wie ist es denn heute mit Halim?« unterbrach Putt seine Gedanken. »Er hat auf dich gewartet.«

»Können wir noch?«

»Viel zu spät. Es ist ja bald vier.«

Daniel senkte den Kopf. »Meinst du, er ist sehr enttäuscht?«

»Das werden wir morgen schon sehen«, sagte Putt. »Besorge mir jetzt mal Erdnüsse!«

8

Als Daniel mit Putt am folgenden Tag in der Urwaldsiedlung anlangte, mußten sie erst eine Weile nach Halim suchen. Endlich fanden sie ihn. Er hockte mit seinen Kameraden im Schatten einer Reisscheune. Alle schwatzten aufgeregt durcheinander und bastelten dabei Drachen aus Bambusstäben und weißem Reispapier.

Die Form der Drachen war anders, als Daniel sie von zu Hause kannte: breit ausladend mit gerundeten Flächen. Im Mittelteil hatten sie eingesetzte Augen und darüber eine segelartige Haube. Sie waren sehr kunstvoll, aber mühsam herzustellen, weil man gebogene Stäbe dazu brauchte. Das Papier ließ sich auch schwerer aufkleben als auf gerade Leisten.

»Halim!« rief Daniel ihn an. »Sei mir nicht bös wegen gestern.«

Halim schüttelte den Kopf, aber er machte keine

Anstalten aufzustehen. Er arbeitete weiter an seinem Drachen.

»Bist du wirklich nicht böse? – Sag doch was!«

Halim blickte auf. »Ich muß erst den Drachen fertigmachen.«

»Wa waj!« Ein Junge neben ihm lachte. »Hört nur, Halim redet mit sich selbst.«

Rasch beugte sich Halim wieder über seine Arbeit.

Daniel kam sich ausgeschlossen vor. Es war wie zu Hause, wenn Manfred mit Günther spielte.

Hilfesuchend schaute er nach Putt. »Er will mich heute nicht«, murmelte er. »Verstehst du das?«

»Er kann jetzt nicht mit dir reden«, sagte Putt.

»Aber er braucht nicht einfach weiterzumachen. Wir können zusammen fortgehen. Es ist doch alles so wichtig zwischen uns.«

»Im Augenblick ist ihm sein Drachen das Wichtigste«, sagte Putt. »Ich nehme an, es gibt ein Drachenfest.«

Halim war von allen Jungen am weitesten mit seiner Arbeit. Jetzt hängte er den fertigen Drachen an die hölzerne Wand der Reisscheune und begann, Glasstücke mit einem Mörser zu zerstoßen.

Daniel konnte sich nicht zurückhalten. »Wozu machst du das?« rief er hinüber.

Aber Halim zuckte nur mit den Schultern, als ob er sagen wollte: Ich kann dir das jetzt nicht erklären. Er zerkleinerte die Glasscherben, dann bestrich er die Drachenschnur mit Leim und bestreute sie mit den Splittern.

»Ich will wissen, wozu er das macht«, sagte Daniel ungeduldig zu Putt.

»Wie ich vermutet habe: für das Drachenfest.«

»Aber die Schnur mit den angeklebten Glassplittern!«

»Das ist gerade der Witz«, erklärte Putt. »Ich habe das einmal gesehen. Es ist ein Wettkampf. Sie lassen ihre Drachen alle zusammen aufsteigen und versuchen, sich gegenseitig die Leinen durchzuschneiden.«

»Mit den Glassplittern?«

»Je zwei Jungen wetzen ihre gespannten Leinen so lange aneinander, bis eine durchgeschabt ist.«

»Dann stürzt der Drachen ja ab«, rief Daniel.

»Das soll er auch. Wer als letzter seinen Drachen noch in der Luft hat, ist Sieger.«

Daniel überdachte noch einmal alles genau. »Da würde ich gern mitmachen.«

Putt schaute einem vorbeifliegenden Papagei nach und seufzte: »Uns beiden bleibt hier manches versagt. Ich zum Beispiel würde so gern die Bekanntschaft eines netten Papageien machen, aber als unsichtbarer Vogel habe ich wenig Aussichten.«

Der fremde Papagei sah ähnlich aus wie Putt. Er war ebenfalls grün, nur hatte er keine rote Brust, sondern eine hellgraue mit einem zartrosa Schimmer.

Er ließ sich in der Nähe auf einem Mandarinenbaum nieder und äugte neugierig herüber.

»Du, Putt, der guckt dich richtig an«, meinte Daniel. »Vielleicht bist du für Papageien gar nicht unsichtbar.«

»Das muß ich sofort herauskriegen«, rief Putt und flatterte neben den fremden Grünen.

Was die beiden miteinander redeten, konnte Daniel nicht verstehen, er sah jedoch, daß Putt auf dem Zweig des Mandarinenbaums zierlich hin und her trippelte und mit dem Oberkörper viele Verbeugungen machte, worauf auch der fremde Papagei trippelte und sich verbeugte. Schließlich neigte Putt seinen Nacken, und der andere kraulte ihn mit dem Schnabel.

Putt hatte eine Bekanntschaft gemacht und erfahren, daß er für andere Papageien sichtbar war.

Vergnügt schrie er: »Hej, Daniel! Das ist Polly. Sie ist sehr nett. Wir fliegen eine Runde zusammen. Bis später.«

Nun war Putt fort, und weil mit Halim nichts anzufangen war, suchte Daniel Pa Wirio in seiner Hütte auf.

»Tabeh, Daniel«, begrüßte ihn der alte Mann. »Du kommst zu mir. Ist Halim noch bei seinem Drachen?«

Daniel nickte. »Und Putt ist auch weg. Mit einem andern Papagei. Einfach fortgeflogen.«

»Setz dich her und warte«, forderte ihn Pa Wirio auf.

»Pa Wirio«, fing Daniel nach einer Weile an. »Du hast gesagt, daß ich Halim helfen kann.«

»Ja.«

»Ich weiß nicht, wie ich das machen soll. Ich verstehe überhaupt nicht, warum er mich braucht.«

Pa Wirio antwortete: »Halim hatte noch nie einen Freund. Du weißt, daß alle hier im Kampong glauben, er sei der Sohn eines Teindaku. Den will niemand zum Freund. Die Kinder lassen ihn mitspielen, das ist alles.«

»Er hat nie einen Freund gehabt?«

»Nein.«

»Hat er deshalb gewünscht, daß ich ein Teindaku bin?«

»Er hat gesagt, wenn mich die andern nicht wollen, dann suche ich mir einen Teindaku als Freund. Mit dem wollte er zu seinem Vater gehen.«

»Warum ist er nicht allein zu Sentono gegangen?«

»Er hatte keinen Mut dazu. Man kann nicht alles alleine schaffen.«

Es wurde still in Pa Wirios Hütte. Daniel saß und

hoffte, daß Halim und Putt zurückkämen. Aber keiner von beiden ließ sich sehen, und die Zeit wurde ihm lang.

»Pa Wirio«, sagte er, »du hast neulich die Geschichte vom Krokodilkind erzählt. Weißt du noch mehr Geschichten?«

»Willst du, daß ich dir etwas erzähle?«

»Ja.«

Pa Wirio dachte nach. »Kennst du die Geschichte vom Affen, der auf einer Reiskruste eine Bootsfahrt machen wollte?«

»Nein. Was ist das, eine Reiskruste?«

»Du hast doch schon gesehen, daß der Reis in ganz großen Kupferkesseln gekocht wird.«

»Ja.«

»Beim Essen schöpft man aus der Mitte heraus. Oft bleibt ein dicker Rest Reis am Rand und am Boden des Kessels übrig. Der wird trocken und hart. Die Frauen stülpen die Kruste aus dem Kessel und werfen sie vors Haus für die Hühner.«

»Die Kruste sieht dann aus wie eine Schüssel«, überlegte Daniel.

»Richtig«, bestätigte Pa Wirio. »Und so eine Reiskrustenschüssel fand der Affe, von dem ich erzählen will:

Der Affe konnte nicht schwimmen und wollte schon immer einmal hinaus aufs Meer. Vor einer Hütte entdeckte er eine Reiskruste. Ein paar Vögel pickten daran. Er jagte sie weg und sagte: ›Das soll mein Boot werden. Damit fahre ich aufs Meer.‹

›Tu's doch!‹ kicherten die Vögel.

Da schleppte der Affe die Reiskruste zum Meer, setzte sich hinein und ließ sich weit hinaustreiben. Die Vögel flogen neugierig mit.

Dem Affen machte es Spaß, auf den Wellen zu schaukeln, aber nach ein paar Stunden bekam er Hunger. ›Ich will zurück ans Land‹, rief er.

›Tu's doch!‹ kicherten die Vögel.

›Ich habe kein Ruder. Wie soll ich zurückkommen?‹ fragte der Affe. Sein Hunger wurde immer ärger.

›Iß von der Reiskruste‹, rieten ihm die Vögel.

Der Affe knabberte ein Stück vom Rand seines Reisbootes ab. Jetzt war er satt, aber das Boot sank ein wenig tiefer ins Wasser. Nach einer Weile bekam er wieder Hunger und aß noch einmal von der Reiskruste. Da sank das Boot so tief, daß die Wellen über den Rand spritzten.

›Wenn ich noch mehr davon esse, wird das Boot untergehn‹, jammerte der Affe, und er schrie den Vögeln zu: ›Helft mir doch!‹

Aber die Vögel lachten ihn aus. Sie schwangen sich hoch in die Luft und flogen davon.«

»Und damit ist es aus?« fragte Daniel. Er war mit dem Ende der Geschichte nicht zufrieden. »Was soll denn der Affe jetzt machen? Wenn er das Reisboot aufißt, geht er unter, und wenn er es nicht aufißt, verhungert er.«

Über die Antwort, die er bekam, wunderte sich Daniel. Es klang nämlich nicht so, als hätte Pa Wirio sie gegeben; es hörte sich wie ein Sprichwort von Tante Johanna an: »Wer sich in Gefahr begibt, kommt darin um.«

Verwirrt schielte Daniel zu dem alten Mann. Er saß ganz ruhig neben ihm auf der Bastmatte. Hatte er überhaupt gesprochen?

Pa Wirio lächelte. »Ich glaube, du mußt jetzt nach Putt sehen.«

Ach ja, Putt! Daniel stand auf und trat vor die Hüttentür. Die weißen Drachen der Knaben leuchteten von weitem herüber. Er konnte Halim jetzt nicht mehr entdecken. Auch Putt war nirgends zu sehen.

»Putt!« rief er. »Putt, komm, wir müssen nach Hause.«

Er sprang die schmale Leiter vor Pa Wirios Hütte hinunter und wartete.

Putt kam nicht.

»Es wird Zeit!« Daniel legte die Hände um den Mund und schrie so laut er konnte: »Putt – Pu-u-tt!«

Ein Vogel schwang sich aus einer Palmkrone, aber es war nicht Putt, sondern ein schwarzer Beo. Der Beo ließ sich auf dem Strohdach von Pa Wirios Hütte nieder.

»Weißt du vielleicht, wo mein grüner Papagei ist?« fragte Daniel.

Der Beo pfiff leise, dann flog er auf, ohne Daniel zu beachten.

Pa Wirio kam an die Hüttentür. »Du mußt alleine vorausgehen. Der Papagei wird dich einholen, er fliegt viel schneller, als du läufst.«

»Schickst du ihn mir nach?«

»Gewiß, wenn ich ihn sehe.«

»Bis bald, Pa Wirio.«

»Tabeh, Daniel.«

Aber Putt kam nicht nach.

Voller Unruhe wartete Daniel an der geheimen Tür auf ihn. Er hatte sie geöffnet und lauschte ins Haus.

Erst als er Tante Johanna auf der Diele hörte, zog er die Tür zu und schlüpfte hinter der Landkarte hervor.

Tante Johanna hielt ein paar Erdnüsse in der Hand.

»Hier habe ich was für...«, sie unterbrach sich und sah ärgerlich auf den leeren Papageienkäfig. »Du hast Putt schon wieder herausgelassen. Fang ihn sofort ein!«

Sie suchte mit den Augen vergeblich die Büchergestelle ab.

»Wo ist er denn?«

»Ich weiß nicht«, flüsterte Daniel.

»Du weißt nicht – was soll das heißen? Du hast ihn doch bestimmt aus dem Käfig gelassen.«

»Ja.«

»Und wo...?«

»Ich weiß nicht«, wiederholte Daniel.

Da entdeckte Tante Johanna, daß ein Fensterflügel offenstand und stieß einen Entsetzensschrei aus.

»Das Fenster! Putt ist fortgeflogen. Das ist ja... Daniel, wie konntest du nur...«

Die Tante rannte aufgeregt herum, stieß das Fenster zu und riß es gleich darauf weit auf. »Es muß offen bleiben. Vielleicht findet er zurück.«

Dann zog sie Daniel zur Haustür. »Lauf die Straße entlang! Ich suche den Garten ab.«

Mit hängendem Kopf blieb Daniel wenige Meter von seinem Haus entfernt stehen. Es war ja doch eine nutzlose Suche.

»Im Garten ist er nicht!« rief Tante Johanna. »Wir müssen das ganze Viertel alarmieren.«

»Ich glaube, es hat keinen Zweck«, sagte Daniel.

»Keinen Zweck?« empörte sich die Tante. »Du läßt ihn wegfliegen und gibst so schnell auf! – Nein, nein, man muß etwas unternehmen. Beharrlichkeit führt stets zum Ziel.«

Sie eilte zurück ins Haus und beschrieb viele Zettel:

Grüner Papagei entflogen.
Bitte Nachricht an
Gilbert Tel. 335254

Daniel sollte die Zettel überall in der Gegend ankleben.

»An Straßenlaternen und drüben an der langen Mauer«, bestimmte die Tante. »Und vergiß nicht den Milchladen.«

Mit dem Stoß Zettel und einer Rolle Klebestreifen zog Daniel los. Die Sache selbst hielt er zwar für sinnlos, aber das Ankleben machte Spaß. Er vergaß darüber fast, daß Putt wirklich verschwunden war.

Im Milchladen traf er ausgerechnet Manfred, der zum Einkaufen geschickt worden war. Er nahm gerade Joghurtbecher aus dem Kühlfach.

Daniel drehte sich um und lieferte einen seiner Zettel an der Kasse ab. »Könnten Sie den bitte hier irgendwo anhängen? Damit ihn alle Leute sehen«, bat er die Verkäuferin.

»Dein Papagei? Ach, du liebe Güte!« rief die Verkäuferin, nachdem sie den Zettel gelesen hatte. »Gib her, den bringen wir hier über der Kasse an.«

»Danke«, sagte Daniel.

Beim Hinausgehen wandte er sich noch einmal um und sah, daß Manfred jetzt an der Kasse stand und den Zettel studierte.

Da wünschte Daniel von Herzen, daß Manfred fühlen sollte, wie es ihm ging, ohne Eltern, ohne Freund, ohne Putt. Und seine Sorge um Putt schlug um in großes Mitleid mit sich selbst.

Die nächsten zwei Stunden flossen zäh dahin. Tante Johanna irrte ruhelos durchs Haus, durch den Garten, ein Stück die Straße hinauf und hinunter. Sie hängte den Papageienkäfig ans Fenster und rief alle Leute an, die sie kannte.

Die Uhr in der Diele schlug sechs, und von Putt gab es noch immer keine Spur.

»Die Gegend wimmelt von Katzen«, jammerte Tante Johanna. »Der arme Putt. Ich habe die Verantwortung.«

Zum Glück fiel ihr kein passendes Sprichwort mehr ein. Daniel hätte es nicht ertragen.

Er schlich sich ins Arbeitszimmer, drehte den Schlüssel um und stellte sich vor die Landkarte von Sumatra.

Ich muß es versuchen, dachte er. Entschlossen schob er die Karte beiseite, tastete nach der Klinke und drückte sie nieder: Die Tür ging nicht auf. Sie gab auch nicht nach, als Daniel sich dagegenstemmte.

Es ist die falsche Zeit, überlegte Daniel – oder vielleicht geht es nur mit Putt.

Das Telefon schrillte in seine Gedanken hinein. Er lief zum Schreibtisch und meldete sich.

»Hallo«, rief eine weibliche Stimme durch den Hörer. »Hier ist der Frisiersalon Anita. Ich habe Ihren Zettel gelesen. Er sitzt am Spiegel.«

»Der Zettel?« fragte Daniel.

»Nein, der Papagei.« Die Stimme klang hastig und aufgeregt. »Schnell, kommen Sie, bevor er davonfliegt. – Salon Anita, Leopoldstraße.«

»Sofort!« schrie Daniel. »Halten Sie ihn fest! Wir kommen sofort.«

Tante Johanna hatte die Telefonklingel ebenfalls gehört und wollte an den Apparat gehen. Zu ihrem Erstaunen fand sie das Arbeitszimmer verschlossen.

»Was ist los, Daniel?« rief sie und klopfte an die Tür. »Mach auf!«

Daniel legte den Hörer auf die Gabel und rannte zur Tür.

»Warum schließt du dich ein?« fragte die Tante, als Daniel vor ihr stand. »Wer hat angerufen?«

»Putt ist da«, sagte Daniel, und damit ersparte er sich alle Erklärungen wegen der abgeschlossenen Tür.

»Putt? – Wo ist er?«

»Er sitzt im Frisiersalon vor dem Spiegel.«

»Mach keine Witze, Daniel.«

»Es ist wahr, Tante Johanna. Ein Mädchen hat angerufen. Wir müssen sofort hin. Salon Anita in der Leopoldstraße.«

»Was, so weit ist er geflogen?«

Tante Johanna stürzte ans Telefon und bestellte ein Taxi. Wenige Minuten später fuhr sie mit Daniel zur Leopoldstraße.

Da saß Putt wahrhaftig vor einem der großen Spiegel, betrachtete sein Abbild, trippelte hin und her und machte vor sich selbst Verbeugungen. Dabei gurrte er leise und zärtlich.

»Putt, Puttchen«, rief Daniel.

Als die bekannte Stimme an sein Ohr drang, hielt der Papagei inne und wandte den Kopf. Langsam ging Daniel heran, legte seine Hand neben ihn auf den Frisiertisch und spreizte den Zeigefinger ab. Putt beäugte die Hand, beäugte Daniel und stieg dann auf den ausgestreckten Finger. Mit seinen hornigen Zehen umschloß er ihn fest.

Daniel und Putt hatten sich wiedergefunden.

Später in Vaters Arbeitszimmer sagte Daniel: »Ich verstehe das alles nicht, Putt. Wo warst du denn, als ich nach Hause ging? Und wie bist du in den Frisiersalon gekommen?«

Putt zupfte Körner aus einem Maiskolben und gab keine Antwort.

»Sag doch, Putt!« drängte Daniel.

Der Papagei rollte seine kloßige Zunge durch den Schnabel, kniff die Augen zu und schnarrte: »Pott ist schöön.«

»Du bist gemein«, schimpfte Daniel. »Kannst du dir nicht vorstellen, wie das hier war? Tante Johanna hat gesagt, ich bin schuld, daß du weg bist, und ich wußte doch nicht, wie ich dich wiederkriegen konnte. Die Tür – er deutete nach der Landkarte – war nämlich fest zu.«

Putt kehrte Daniel den Rücken zu und tat, als ob ihn das alles nichts anginge.

»Bitte, Putt, ich will das wissen. Sag doch was!«

Daniels Betteln nützte nichts. Putt gab keine Erklärung für den seltsamen Vorfall, und er redete an diesem Abend kein Wort mehr.

9

In der Schule wußten schon alle, daß Putt ausgerissen war. Manfred hatte es erzählt.

Als Daniel kam, mußte er die Einzelheiten noch einmal genau berichten: von dem offenstehenden Fenster, den angeklebten Suchzetteln und von Putt im Frisiersalon.

Es gelang Daniel aber nicht, die Geschichte spannend und lustig darzustellen, wie er das sonst konnte. Alles, was er sagte, war ja nur ein Teil der Wahrheit. Außerdem fühlte sich Daniel heute merkwürdig leer im Kopf.

Dieses Gefühl ging nicht weg. Es wurde sogar schlimmer. Daniel hätte seinen Kopf am liebsten auf das Pult gelegt; er wurde von Stunde zu Stunde schwerer.

In der Pause redeten die Klassenkameraden noch über

Putts Ausflug. Manfred schielte zu seinem alten Freund hinüber, und wenn Daniel nur einen Blick für ihn gehabt hätte, wäre alles wieder gut gewesen zwischen ihnen. Aber Daniel merkte nicht, daß sich Manfred auffällig in seiner Nähe hielt. Er stand abseits, lehnte sich an die Mauer des Schulhauses und fühlte nichts anderes als seinen schweren Kopf.

»Was ist mit dir?« hörte er die Stimme seines Klassenlehrers, der die Aufsicht im Schulhof hatte. Sie schien aus weiter Ferne zu kommen.

Der Lehrer legte ihm seine Hand auf die Stirn, und Daniel sah ein besorgtes Gesicht über sich gebeugt. »Ist dir nicht gut?«

Daniel brachte kein Wort heraus. Er schüttelte den Kopf. Es wurde ihm schwindlig, und Tränen stiegen ihm in die Augen, er wußte nicht warum.

»Komm, Daniel«, sagte der Lehrer, »ich fahre dich nach Hause. Ich glaube, du hast Fieber.«

Er wurde ins Lehrerzimmer geführt, irgend jemand brachte seine Schultasche. Dann ging er neben dem Klassenlehrer die Treppe hinunter und wurde in ein Auto gesetzt.

Die Fahrt durch die bekannten Straßen erschien ihm endlos. Er war froh, heimzukommen, und hatte gleichzeitig Angst, Tante Johanna zu erschrecken.

Aber die Tante zeigte sich anders, als er erwartet hatte. Sie wechselte ganz ruhig ein paar Worte mit dem Lehrer und brachte Daniel ins Haus.

»Leg dich in dein Bett, Jungchen. Ich komme gleich«, sagte sie.

Ohne Widerspruch zog er sich aus. Er war sogar froh, daß er ins Bett geschickt wurde. Als er in seinen Schlafanzug stieg, wurde ihm wieder schwindlig. Schnell kroch er ins Bett und legte seinen heißen Kopf auf das Kissen. Seine Augen brannten ein wenig, und wenn er sie schloß, sah er rote und schwarze Kreise.

Tante Johanna kam und reichte ihm das Fieberthermometer. »Kannst du das selbst?«

»Kann ich«, antwortete er.

Die Tante setzte sich an sein Bett und wartete. Als Daniel nach fünf Minuten das Thermometer unter der Bettdecke hervorzog, stand die Quecksilbersäule auf 39,6.

Tante Johanna machte jetzt doch ein ängstliches Gesicht. »Vielleicht hast du Grippe«, überlegte sie. »Ich werde gleich Doktor Burger rufen.«

Doktor Burger, dachte Daniel, das ist gut. Es war überhaupt alles gut, seitdem er in seinem Bett lag. Er lauschte in das stille Haus und fühlte sich ruhig und zufrieden.

Tante Johanna war ins Erdgeschoß gegangen. Jetzt rief sie sicher Doktor Burger an. Daniel stellte sich vor, was sie am Telefon zu ihm sagen würde: Daniel ist krank, er hat Fieber. Bitte, schauen Sie bald nach ihm. – Das würde sie sagen.

Tante Johanna mit dem Telefonhörer in der Hand – an Vaters Schreibtisch – im Arbeitszimmer – Putt!

In einer losen Reihe von Vorstellungen hatte sich plötzlich der Gedanke an Putt gebildet. Er brach in Daniels Gleichmut ein wie Feuer.

»Tante Johanna«, jammerte er, »Tante Johanna!«

»Ich komme, mein Jungchen«, tönte es beruhigend aus der Diele. Gleich darauf stand die Tante im Kinderzimmer.

»Doktor Burger kommt bald, hat er gesagt.«

»Ich will zu Putt«, verlangte Daniel.

»Aber, Kind, das geht jetzt nicht. Mit Fieber darfst du nicht aufstehn.«

»Ich will zu Putt.«

»Daniel, bitte reg dich nicht auf. Laß erst mal Doktor Burger kommen.«

»Meinst du, er läßt mich hinunter?«

»Heute wohl kaum.«

»Ich muß aber zu Putt«, wiederholte Daniel.

Die Tante betrachtete ihn ratlos.

»Ich muß zu Putt.« Er verbiß sich in diesen Gedanken. Sein Gesicht zuckte, und dann warf er sich herum, preßte seinen Kopf in das Kissen und schluchzte.

Tante Johanna tätschelte ihm lange besänftigend den Rücken. Schließlich sagte sie: »Du sollst zu Putt, Daniel. Mir ist gerade eine Idee gekommen.«

Er hob sein Gesicht von dem tränennassen Kopfkissen und sah die Tante erwartungsvoll an.

»Es wird das beste sein, wir tragen dein Bett hinunter ins Arbeitszimmer. Da brauche ich nicht treppauf-treppab zu laufen, und du bist immer bei Putt, Tag und Nacht.«

Daniel schloß die Augen. »Das ist gut«, flüsterte er, und die Müdigkeit senkte sich wieder über ihn.

Wie lange er vor sich hingedämmert hatte, wußte er nicht. Er erwachte, als die Tür geöffnet wurde und Tante Johanna mit dem Arzt erschien.

Daniel kannte den Doktor seit vielen Jahren. Alles an ihm war ihm vertraut: seine straffe Gestalt, der Kopf mit dem dichten dunklen Haar, das an den Seiten schon grau wurde, und das kräftige, immer gebräunte Gesicht. Die Partie zwischen Wangen und Kinn war tief eingekerbt, und wenn er lachte, standen kleine Fältchen wie Strahlen um seine Augen.

»Tag, Daniel«, begrüßte ihn Doktor Burger. »Du hast mich ja lange nicht mehr gebraucht. Laß mal sehen, wo's fehlt.«

Er ließ sich die Zunge zeigen, leuchtete ihm in den Mund und tastete den Hals bis zu den Ohren hinauf ab. Dann öffnete er Daniels Schlafanzugjacke.

»Da haben wir's«, nickte er, als hätte er nur noch auf diese Bestätigung gewartet. Er zeigte auf die winzigen roten Punkte, die Daniels Brust übersäten. »Windpokken.«

»Ausgerechnet jetzt, wo die Eltern weg sind«, murmelte Tante Johanna.

»Windpocken sind nichts Schlimmes«, beruhigte sie Doktor Burger. »Wenn das Fieber herunter ist, erholt er sich ganz schnell. – Wann kommen Gilberts denn zurück?«

»In vierzehn Tagen.«

»Bis dahin wird ihnen Daniel schon wieder entgegenspringen.«

Er verschrieb Zäpfchen gegen das Fieber, und zu Daniel sagte er: »Nicht kratzen, sonst gibt's Narben. Ich schaue wieder nach dir.«

Tante Johanna begleitete den Doktor hinunter und fragte dann im Nachbarhaus, ob ihr jemand helfen könnte, Daniels Bett ins Erdgeschoß zu tragen.

Ein Gärtner, der nebenan im Vorgarten arbeitete, war bereit, mit anzufassen.

Daniel wurde in Decken gehüllt und auf einen Sessel gesetzt. Der Gärtner nahm mit ein paar Griffen das Bett auseinander, packte Kopf- und Fußteil und holte dann die langen Seitenbretter und die Drahtmatratze. Tante Johanna brauchte nur das Bettzeug hinunterzutragen.

Dann konnte sich Daniel – erschöpft von diesem

Umzug – in sein Bett kuscheln. Es stand jetzt mit dem Kopfende an einer Bücherwand neben der Landkarte von Sumatra. Putts Käfig hing genau in seiner Blickrichtung.

Aber eine richtige Unterhaltung mit Putt war noch nicht möglich, denn es war inzwischen Mittag geworden, und Tante Johanna erschien mit dem Essen.

»Etwas ganz Leichtes«, sagte sie. »Reisbrei mit Kompott.«

Daniel stocherte lustlos in dem Brei herum, schlürfte ein wenig Saft vom Kirschkompott und legte sich wieder zurück.

»Kann nicht.«

»Willst du lieber was anderes?« fragte die Tante.

»Gar nichts.«

»Vielleicht versuchst du zu schlafen. Ich lasse dir das Kirschkompott hier, falls du Durst hast.«

Sie rückte einen kleinen Tisch neben das Bett, stellte die Schale mit dem Kompott darauf und zog die Gardinen zu. Bevor sie hinausging, warf sie noch einen Blick auf Daniel. Er hatte die Augen geschlossen, sein Atem ging rasch.

Er hat hohes Fieber, dachte die Tante bekümmert. Doktor Burger hatte sie darauf vorbereitet, daß es sogar noch steigen könnte.

Leise schloß sie die Tür und ließ Daniel in dem abgedunkelten Zimmer allein.

Windpocken, dachte Daniel. Gut, daß es Windpocken sind. Jetzt brauchte er Manfred nicht jeden Tag zu begegnen, Manfred mit seinem Günther... Die schwarze Tafel im Klassenzimmer tauchte vor ihm auf, ein Stück Schulhofmauer, das Gesicht des Lehrers. Wortfetzen waberten vorbei, und dann schwemmte der Schlaf alle Gedanken fort.

10

»Endlich haben wir's geschafft«, sagte Putt. »Daß du krank bist, erleichtert unsere Pläne.«

»Bin ich denn krank?«

»Wie fühlst du dich?«

»Gut.«

»Hab' ich mir gedacht! Deine Krankheit gilt nur für die andern, für Doktor Burger und Tante Johanna zum Beispiel. Für uns bedeutet sie Freiheit.«

»Wie meinst du das – Freiheit?«

Putt reckte sich und verkündete: »Wir sind nicht mehr an die Stunde von zwei bis vier gebunden, verstehst du? Wir können uns jederzeit davonmachen.«

»Sooft wir wollen?«

»Gewiß. Solange du krank bist, ist die Zeit unbegrenzt.«

»Dann bleibe ich bei Halim.«

»Und ich bei Polly.«

»Gehen wir gleich?«

»Niemand hindert uns«, sagte der Papagei.

»Also los!« Daniel sprang aus dem Bett. Er wunderte sich nicht darüber, daß er keinen Schlafanzug trug, sondern seine blauen Hosen und das Hemd mit den Schulterklappen. Sie brauchten auch nicht erst den langen Weg durch die Tabakpflanzung zurückzulegen, um Halim zu finden. Er stand an der geheimen Tür; er hatte sie erwartet.

»Pa Wirio sagt, die rechte Zeit sei gekommen«, erklärte er.

»Um deinen Vater zu suchen?« fragte Daniel.

»Ja.«

»Wohin willst du gehen?«

Halim streckte den Arm aus, und Daniels Blick folgte in die gewiesene Richtung. Reisfelder dehnten sich vor ihnen aus, dahinter Hügel mit Buschwerk und Palmen, und ganz in der Ferne die hohen Vulkanberge; ihre Gipfel waren kahl, wie abgeschliffen.

»Auf den Höhen, da wo der Wald ist, war früher einmal eine Siedlung, ein Kampong«, sagte Halim. »Pa Wirio erinnert sich noch daran. Damals gab es viele Tiger in der Gegend, und die Arbeit im Bergwald war schwer. Deshalb sind die Leute ins Tal gezogen. Mein Vater kennt den Kampong auch, sagt Pa Wirio.«

»Und?«

»Pa Wirio meint, wenn ein Mann aus der Gemeinschaft ausgestoßen wird, so wie Sentono, dann sucht er einen einsamen Platz ganz für sich allein.«

»Er meint also...«

Halim nickte. »Die alten Kampong-Hütten sind natürlich längst vom Urwald überwuchert, aber wo einmal eine Siedlung war, findet sich immer ein Unterschlupf. Meistens stehen auch noch ein paar Bananenbäume da oder Zuckerpalmen.«

»Aber Pa Wirio weiß doch nicht, ob Sentono dorthin gegangen ist.«

»Pa Wirio weiß immer alles. Er hat gesagt: suche den verlassenen Kampong.«

»Kennst du den Weg?«

»Er hat ihn mir beschrieben. Wir werden ihn finden.«

Halim deutete auf zwei Bastkörbe, die an eine Tragstange gebunden waren. Sie standen neben ihm am Boden. »Ich habe schon alle Vorbereitungen getroffen. Da sind Mangofrüchte drin und Reiskuchen für unterwegs. Und hier ist Zuckerrohr – willst du?«

Er reichte Daniel einen Stengel Zuckerrohr, nahm

sich selbst einen und kaute darauf herum. Die harten Fasern spuckte er aus. Daniel machte es ebenso.

»Und ich?« nörgelte Putt, der sich wieder einmal vernachlässigt fühlte. »Für mich hast du nichts?«

»Zuckerrohr?« fragte Halim.

»Eine Feige wäre mir lieber.«

»Feigen habe ich keine«, bedauerte Halim. »Die kannst du dir aber leicht selbst vom Baum holen.«

»Das werde ich auch«, erwiderte Putt. »Später suche ich mir einen Feigenbaum. Zusammen mit Polly. Ich bin nämlich mit ihr verabredet.«

»Putt«, rief Daniel ängstlich. »Flieg nicht wieder so weit weg von mir.«

»Ich bin nie weit weg«, erklärte Putt. »Wenn du mich brauchst, bin ich sofort da.«

»Bestimmt?«

»Ganz bestimmt.«

»Also gut«, sagte Daniel, »dann flieg!«

Putt schoß davon und war Sekunden später ihren Augen entschwunden.

Halim griff nach der Tragstange mit den beiden Körben und legte sie sich auf die rechte Schulter. Der eine Korb schaukelte vor ihm, der andere am hinteren Ende der Stange.

Er war barfuß wie immer, trug aber diesmal ein hellfarbiges Hemd, und im Gürtel steckte ihm ein Parang.

Ihr Weg führte an Reisfeldern vorbei und durch einen Ölpalmenwald. Dann kam eine schier endlose Strecke mit Gummibäumen. Die weißgefleckten Stämme standen schnurgerade einer hinter dem andern.

Schließlich hörten die Pflanzungen auf, und die beiden Knaben mußten sich einen Pfad durch meterhohes

Gras bahnen. Es war hartes Tropengras. Halim nannte es Alang-Alang.

Die Sonne stand hoch am Himmel und brütete über der Landschaft. Daniel war durstig, aber es gab kein Trinkwasser.

»Gehen wir richtig?« fragte er.

»Wir müssen zum Fluß, hat Pa Wirio gesagt. Wir sind bald da.«

In der Ferne entdeckten sie ein paar Hütten. Eine Herde Wasserbüffel zog träge vorüber, verschwand hinter Buschwerk und tauchte wieder auf.

»Die wollen auch zum Fluß«, erklärte Halim.

Der Boden wurde morastig, Tümpel versperrten ihnen den direkten Weg. Als sie den Fluß vor sich sahen, trafen sie auch wieder auf die Wasserbüffel. Sie wateten im Schlamm und suhlten sich behaglich. Ihre Leiber hatten die gleiche schwarzgraue Farbe wie der Morast.

Die letzten hundert Meter bis zum Fluß waren unbegehbar. »Hier kommen wir nicht weiter«, sagte Halim. »Ein Stück oberhalb bei den Hütten muß es einen Steg geben.«

Sie nahmen diese Richtung und fanden den Holzsteg, der lang und schmal über den Morast bis zum Fluß führte. Aber ans andere Ufer ging es von da aus nicht.

Ein Mann saß am äußersten Rand des Stegs und fischte mit einem Netz, das wie ein Segel an einer Stange befestigt war. Im Wasser hing ein Korb mit Fischen, die er gefangen hatte.

»Wohin willst du?« fragte er Halim.

»Ich suche den alten Kampong da oben im Bergwald. Weißt du den Weg?«

Der Fischer hob abwehrend die Hand. »Ich werde ihn dir nicht sagen. Es ist nicht gut, dorthin zu gehen.«

»Gut oder nicht – ich *muß* dorthin.« Halim sprach so bestimmt wie ein erwachsener Mann.

»Man sagt, im alten Kampong haust ein Teindaku«, warnte der Fischer.

»Sagt man das?« fragte Halim und nickte Daniel bedeutungsvoll zu. »Dann sind wir auf dem richtigen Weg.«

»Warum sagst du *wir*? Du bist doch allein.«

Der Fischer betrachtete Halim von der Seite, dann zog er sein Netz aus dem Wasser, griff nach dem Korb mit seinem Fang und wandte sich zum Gehen.

Als er schon ein Stück weit den Steg zurückgegangen war, drehte er sich um und rief: »Wenn du wirklich zum alten Kampong mußt, dann nimm dir eines von den Booten da. Du mußt zuerst ein Stück durch den Urwald. Auf dem Fluß kommst du besser durch.«

»Du bist freundlich«, sagte Halim. »Ich danke dir.«

Der Fischer winkte ab. »Du fährst so lange den Fluß hinunter, bis sich am südlichen Ufer der Wald lichtet. Dort legst du an. Es gibt einen Pfad, der den Berg hinaufführt. Er ist fast zugewachsen, aber wer ein Ziel hat, findet auch den Weg dazu. Tabeh!«

»Tabeh!« rief Halim, »und Dank für das Boot. Ich bringe es zurück.«

Er sah dem Fischer nach, der sich schnell entfernte.

Am Ende des Stegs lagen fünf Boote. Halim sprang von den Holzplanken aus in eines hinein. Das schmale Fahrzeug schwankte bedrohlich. Es war ungefähr vier Meter lang und nicht viel mehr als einen halben Meter breit. Das ganze Boot bestand aus einem einzigen Stück, das aus dem Stamm eines Urwaldbaumes herausgehauen war. Einen Kiel hatte es nicht.

»Komm!« rief Halim.

Daniel rutschte vorsichtig vom Steg herunter.

»Bleib hinten!« Halim reichte ihm ein Paddel. Er selbst setzte sich vorn ins Boot.

Daniel hatte gleich heraus, wie er mit dem kurzen Paddel umgehen mußte, und sie kamen schnell voran.

Geschickt lenkte Halim an Strudeln und ins Wasser gestürzten Stämmen vorbei.

»Gibt's hier Krokodile?« fragte Daniel.

»Natürlich.« In Halims Augen blitzte es auf. Er hob sein Paddel wie einen Speer über sich. »Sie liegen unbeweglich im Wasser. Nur zwei Augenwülste und die Nasenlöcher ragen heraus. Dann muß man zielen – siehst du, so! Und man muß heimlich einen Spruch dabei sagen.«

»Warum einen Spruch?«

»Weil sich die Krokodile sonst nicht treffen lassen.«

Halim richtete sich auf. »So muß man sagen:

Ajo Buoja ajo ajo!
Du sollst dir stromaufwärts den Rachen zerbrechen,
du sollst dir stromabwärts den Schwanz zerfetzen,
ein riesiger Kugelfisch soll dich verschlingen!«

Daniel wiederholte den Spruch so lange, bis er ihn ohne zu stocken hersagen konnte, und er suchte dabei das lehmbraune Wasser nach Krokodilen ab.

In vielen Windungen zog sich der Fluß dahin. Zu beiden Seiten waren die Ufer mit einer grünen Pflanzenmauer bewachsen: Buschwerk, Kletterpalmen, Lianen, Luftwurzeln, dicht ineinander verflochten. Und die Wipfel der mächtigen Bäume berührten sich hoch über dem Fluß und tauchten ihn in grünes Dämmerlicht.

»Ich habe Durst«, sagte Daniel. Die drückende Hitze quälte ihn, und sein Arm wurde vom Paddeln müde.

»Sabar«, antwortete Halim. »Bald suchen wir uns einen Lagerplatz, dann werden wir essen und trinken.«

Lagerplatz, dachte Daniel. Alles an ihm war so entsetzlich müde und schwer. Wie im Traum nahm er wahr, daß sie an einer Stelle anlegten, wo der Wald sich lichtete. Mit unsicheren Schritten ging er hinter Halim her. Er sah nur Halim. – Halim, den kräftigen, mit der Tragstange und den beiden Körben über der Schulter. Halim, der seinen Parang aus dem Gürtel zog, Äste abschlug und einen Unterschlupf baute, mit einem Dach aus dicken, lederartigen Blättern.

»Ich habe Durst«, flüsterte er, und dann sank er auf etwas Weiches, das gab nach, und er sank tief, ganz tief.

»Daniel!« Jemand rief ihn leise an. – Tante Johanna?

Jetzt merkte er, daß er auf einem Kissen lag; es war weich und weiß. Ein feuchtes Tuch wurde ihm auf die Stirn gelegt.

»Ich hab' so Durst«, sagte er.

Ein Arm schob sich unter seinen Rücken und richtete ihn ein wenig auf. Tante Johannas Gesicht streifte ihn.

»Hier ist Saft.«

Er trank mit kleinen hastigen Schlucken.

»Tante Johanna!«

»Ja, mein Jungchen.«

»Wo ist Putt?«

»Hier bei dir. In seinem Käfig.«

Im Käfig. Warum war Putt im Käfig? Mit Anstrengung hob Daniel den Kopf. Das Zimmer schwankte, und auch der Papageienkäfig schaukelte.

Aber es stimmte gar nicht, daß Putt darin saß. Ein

riesiger Nashornvogel hockte auf der untersten Stange. Er war schwarz und weiß gefiedert, hatte einen langen gebogenen Schnabel und einen höckerartigen Auswuchs am Kopf.

Der fremde Vogel blickte hochmütig herüber, dann schüttelte er sein Gefieder und flog durch die Stäbe des Käfigs davon. »Ong-ang ong-ang«, tönte sein lauter Ruf.

»Hörst du, Daniel, ein Nashornvogel. Dort fliegt er.«

Das war Halims Stimme.

Daniel erhob sich von dem Lager, das Halim aus Blättern aufgeschüttet hatte. Der Vogel schwang sich über die Baumwipfel.

Noch schlaftrunken lauschte Daniel dem Ruf, bis er sich verlor: »ong-ang ong-ang ong-ang.«

Es war früher Morgen, und der Urwald erwachte mit vielen Stimmen und Geräuschen. Die Affen verließen ihre Schlafbäume und brachen mit Gekreisch und Gezeter durch die Äste. Es knackte, schabte, zirpte und piepte überall. Zikadengesang hing schwirrend in der Luft.

Halim war zum Weitergehen bereit; Daniel folgte ihm.

Sie fanden den Pfad, den der Fischer beschrieben hatte. Er war schmal und bewachsen und führte hügelaufwärts. Äste und Schlingpflanzen versperrten ihnen den Weg; Halim schlug sie mit seinem Parang ab.

Die zunehmende Hitze des Tages machte das Steigen mühsam, und die beiden Knaben wechselten nur selten ein paar Worte.

Es ging nicht immer gleichmäßig bergauf. Mehrmals mußten sie steil hinab in felsige Abgründe. Gestürzte Riesenbäume führten als einzige Verbindung über Schluchten und reißende Bäche.

Nach mehreren Stunden hatten sie zwei Hügelketten überschritten. Der Blick ins Tal war jetzt frei.

»Wir wollen ausruhen«, sagte Halim.

»Hast du was zu trinken?« fragte Daniel.

Halim schaute zum Himmel. »Es wird gleich regnen, dann gibt's Wasser genug.«

»Gleich regnen? Die Sonne scheint doch.«

Aber Halim nickte nur und deutete über das Land: »Gewitter.«

Schwarze Wolkenhaufen ballten sich zusammen. Die Berge lagen bleischwer im Dunst, das Tal dampfte. Im Wald verstummten alle Laute. Die Tiere duckten sich in ihre Verstecke, und die Hitze wurde dick zum Ersticken.

Dann zuckte der erste Blitz. Fast gleichzeitig prasselte der Regen. Grelle Blitze sprühten auf, sie folgten einander in Bündeln von Licht. Und wie eine Sintflut überschütteten die Regenmassen das Land.

Halim und Daniel waren in Sekunden bis auf die Haut durchnäßt. – Aber so plötzlich, wie sich alles entladen hatte, war es vorüber.

»So ist das bei uns jeden Tag«, sagte Halim lachend. »Kennst du das nicht? Kennst du keine Blitze?«

»Natürlich kenne ich Blitze.«

»Weißt du, woher sie kommen?«

»Klar.« Daniel wollte erzählen, was er von der Elektrizität in der Luft gehört hatte, aber Halim unterbrach ihn.

»In der Schule kommt es von der Elektrizität, aber in Wirklichkeit – weißt du, woher die Blitze in Wirklichkeit kommen?«

»Wie meinst du das – in Wirklichkeit?«

Halims Augen schweiften über den Horizont, und er sagte mit geheimnisvoller Stimme: »Das machen die wilden Elefanten. Sie wetzen ihre Stoßzähne an den Felsen, bis das weiße Feuer gegen den Himmel spritzt.«

Daniel betrachtete den Freund und zögerte. – Wilde Elefanten! Sollte er sagen: das stimmt nicht, das ist nur ein Märchen, Blitze kommen von der Elektrizität.

Aber Halim fuhr fort: »Pa Wirio sagt, man kann beides glauben. Mir gefallen die wilden Elefanten viel besser. Stell dir doch vor, wie sie ihre mächtigen Stoßzähne an den Felsen wetzen!«

Er schüttelte den Regen aus seinen schwarzen Haaren, schulterte die Tragstange, und sie setzten den Weg fort. Alle Bäume glänzten dunkelgrün vor Nässe. Die Sonne schien wie zuvor, aber die Luft war so feucht, daß die Hemden der beiden Jungen trotz der Hitze nicht trockneten.

Da hielt Halim an. »Der Kampong! Sieh doch, der alte Kampong! Wir sind ganz nah.«

Er zeigte Daniel die Spuren der früheren Besiedlung: ein paar Zuckerpalmen und Mangobäume zwischen Lianen und wildem Pisang; einen Kaffeebaum mit roten Früchten; eine Pfefferpflanze, die ihre Ranke um seinen Stamm schlang.

Viel war nicht übriggeblieben. Der Urwald hatte die Kulturen überwuchert und erstickt.

Voll Ungeduld drängte Halim jetzt vorwärts. Der Pfad wurde breiter, und dann standen sie vor einer Lichtung, die noch nicht lange gerodet sein konnte. Hier wuchs Bergreis, dazwischen standen Stecklinge von Gummibäumen. Der Rand des Feldes war mit Tabak bepflanzt.

In einiger Entfernung entdeckten sie die Hütte. Sie war aus Bambus gebaut und stand auf kräftigen Pfählen über dem Boden.

Sie blieben stehen und lauschten. Es war ganz still.

Daniel sagte: »Wenn hier ein Teindaku wohnt, müssen wir Tigerspuren vor der Hütte finden. Komm, wir gehen hinüber.«

»Ich kann nicht«, flüsterte Halim. »Ich habe Angst.« Er war den langen Weg mit Erwartung und Sicherheit gegangen; jetzt, wo er am Ziel stand, verließ ihn der Mut.

Daniel nahm ihm die Tragstange von der Schulter und stellte die beiden Körbe auf den Boden.

»Bleib hier«, sagte er. »Ich kann das auch allein. Ganz bestimmt. Ich weiß, wie Tigerspuren aussehen.«

Halim lehnte sich an den silbergrauen Stamm eines hohen Baumes. Er sah Daniel auf die Hütte zulaufen und beobachtete von fern, wie er den Boden sorgfältig absuchte. Jetzt stieg Daniel auf die Leiter beim Bambushaus und prüfte den Platz davor. Dann kam er mit großen Sprüngen zu Halim zurück.

»Nichts, Halim, nichts! Keine Tigerspuren. Nur viele Eindrücke von einem Menschenfuß. Der Boden ist weich, man sieht es deutlich.«

Halims Augen leuchteten auf. »Keine Tigerspuren! Sentono ist kein Teindaku. Er ist ein Mensch wie Pa Wirio.«

Sie standen nebeneinander und schauten über die kleine Pflanzung.

Da teilte sich das Dickicht hinter der Hütte, und ein Mann trat aus dem Wald. An einer Tragstange hatte er zwei Wassergefäße, die aus dicken hohlen Bambusstökken geschnitten waren. Bei jedem Schritt schwappte etwas Wasser aus den langen Röhren.

»Daniel!« flüsterte Halim. Seine Stimme zitterte. »Da ist er. – Was soll ich tun?«

Und leise kam Daniels Antwort: »Geh zu ihm. Ich warte hier.«

Halim faßte Daniels Hände und hielt sie einen Augenblick. Dann löste er sich rasch und ging am Reisfeld entlang auf die Hütte zu. Zuerst setzte er seine nackten braunen Füße zögernd auf, je näher er aber kam, desto schneller lief er.

Als er die Hütte erreicht hatte, hob der Mann den Kopf und bemerkte den Jungen. Regungslos standen sich die beiden gegenüber. Dann hörte Daniel, wie Halim sprach.

»Ich bin Halim«, sagte er, und Sentono antwortete: »Ich weiß.«

Das war alles, was sie redeten.

Sentono setzte behutsam seine Wassergefäße ab, nahm Halim bei der Hand, führte ihn zur Hütte. Sie gingen jedoch nicht hinein, sondern hockten sich nebeneinander auf die Leiter.

Daniel schaute unverwandt zu den beiden, aber Halim sah nicht herüber. Er sprach jetzt leise mit seinem Vater Sentono. Daniel wartete lange, und er wurde ungeduldig. Warum ließ Halim ihn so alleine stehen? Er rief zweimal laut seinen Namen.

Halim hob den Kopf und blickte lauschend umher wie jemand, der sich angerufen fühlt und nicht weiß, woher die Stimme kommt.

»Halim!« Daniel winkte und trat ein paar Schritte vor.

Aber Halim hatte den Blick wieder Sentono zugewandt. Er sah nur ihn. Er hatte seinen Vater gefunden und alles andere darüber vergessen.

Und wieder einmal kam sich Daniel grenzenlos verlassen vor. Es fror ihn trotz der Hitze, und er spürte mit einem Mal, daß sein Hemd von dem Regenguß noch naß an seinem Körper klebte.

Wenn wenigstens Putt hier wäre, dachte er, und dann schrie er verzweifelt nach seinem kleinen grünen Freund: »Putt, komm doch!«

11

Putt, Putt, dröhnte es in seinem Kopf, und Daniel wußte nicht, ob er oder ein anderer gerufen hatte.

Er mußte es aber selbst gewesen sein, denn da stand Tante Johanna vor ihm und sagte: »Aber Jungchen, Putt ist doch hier. Du hast schlecht geträumt. – Und wie du geschwitzt hast. Dein Schlafanzug klebt ja richtig.«

Sie holte ein Handtuch, zog ihm die Jacke aus und frottierte seinen Oberkörper. Dabei redete sie beruhigend auf ihn ein. »Das Ärgste hast du überstanden. Das Fieber läßt jetzt nach, und Schwitzen ist sehr gesund.«

Bald darauf lag Daniel in einem frischen Schlafanzug auf einem neu überzogenen Kopfkissen.

Er befand sich in einer merkwürdigen Stimmung. Genau gesagt kam er sich in zwei Teile zerlegt vor. Der eine Teil sah so aus: Körperlich fühlte er sich zwar noch ein bißchen schwach, aber in seinem Kopf war es viel klarer als bisher. Er konnte die Gegenstände im Zimmer wieder genau betrachten, ohne daß sie gleich verschwammen. Es saß auch kein Nashornvogel mehr im Käfig, sondern sein guter alter Putt. Und Tante Johanna hatte gesagt, daß die Krankheit fast überstanden sei. Er lag jetzt einfach da und wartete darauf, ganz gesund zu werden.

Soweit war Daniel zufrieden.

Es gab aber noch den anderen Teil: Halim. – Wenn er an Halim und Sentono dachte, wie sie einträchtig nebeneinander auf der Leiter vor der Hütte gesessen hatten, wenn er daran dachte, daß Halims Augen über ihn hinweggeschaut hatten, dann war er ratlos vor Kummer.

»Putt«, flüsterte er, »meinst du wirklich, daß es zwischen Halim und mir aus ist?«

»Aus?« fragte der Papagei.

»Weil er doch jetzt Sentono hat.«

»Gewiß hat er Sentono.«

»Und er braucht mich nicht mehr.«

»Er *hat* dich aber gebraucht«, sagte Putt. »Kein Junge aus seinem Dorf wäre mit ihm gegangen, keiner hätte ihm Mut gemacht.«

»Habe ich ihm Mut gemacht?«

»Du hast seinen Vater nicht verachtet wie die andern.«

Ihr Gespräch wurde unterbrochen. Tante Johanna kam mit Doktor Burger ins Zimmer.

»Na also«, rief der Doktor und streckte Daniel die Hand entgegen. »Heute siehst du ja schon frischer aus.«

Er untersuchte den Ausschlag an Daniels Körper und nickte zufrieden. »Das trocknet jetzt ab. Noch zwei Tage strenge Bettruhe, und dann vorsichtig mit dem Aufstehen beginnen. Ich habe es dir ja versprochen: Wenn deine Eltern zurückkommen, springst du ihnen entgegen.«

»Schöönes Wetter, wondervoll«, schnarrte Putt.

Doktor Burger lachte. »Das ist ja ein lustiger Bursche.«

»Lostiger Borsche«, schwätzte Putt nach.

»Mit dem hast du gute Unterhaltung«, sagte der Doktor. »Da wird dir die Zeit im Bett wenigstens nicht lang.«

»Die beiden verstehen sich ausgezeichnet«, bestätigte Tante Johanna und begleitete den Arzt hinaus.

Zwei Tage sollte Daniel noch fest im Bett bleiben. Ihm war das recht. Er hatte überhaupt keine Lust aufzustehen.

Tante Johanna fand ihn lobenswert geduldig. Sie brachte ihm Bücher und Spiele, und er konnte jetzt auch die Post lesen, die inzwischen von den Eltern gekommen war.

Sie schrieben, daß die Beobachtung der Orang-Utans abgeschlossen sei, und daß sie bald die Heimreise antreten würden. Mit dem letzten Brief hatten sie sogar ein paar Fotos geschickt: Papa mit einer Gruppe malaiischer Männer in einem Boot. Papa vor einem Bambusdickicht mit einem Buschmesser. Ein anderes Foto zeigt die Mutter unter einem Baum im Liegestuhl. *Im schattigen Garten des Hotels Dirga Surga in Medan* stand darauf.

»Das sieht ja recht kultiviert aus«, stellte Tante Johanna fest. »Ich hatte schon Angst, deine arme Mutter müßte in Eingeborenenzelten übernachten.«

»Auf Sumatra haben die Leute Häuser aus Bambus, keine Zelte«, belehrte sie Daniel.

»Um so besser. – Der Liegestuhl sieht übrigens sehr bequem aus. Er ist auch aus Bambus.«

»Nein, der ist aus Rotang.«

»Rotang? Hab' ich nie gehört.«

»Das ist eine Kletterpalme.«

Tante Johanna schüttelte verwundert den Kopf. »Woher weißt du das? Es sieht genau aus wie Bambus.«

»Ähnlich«, sagte Daniel. »Bambus ist innen hohl, Rotang nicht. Für Stühle ist Rotang besser.«

»Großartig! Man könnte meinen, du wärst selbst auf Sumatra gewesen.«

»Krrraus, raus, raus, Pott ist schöön«, plärrte Putt.

»Es wäre gut, wenn Putt seinen Wortschatz etwas erweitern könnte«, sagte die Tante zu Daniel. »Du hast jetzt die beste Zeit, ihm Neues beizubringen. – Aber bitte nichts Unanständiges!« Damit ging sie aus dem Zimmer.

Aus dem Stoß Bücher neben seinem Bett holte sich Daniel immer wieder eines hervor: den großen Fotoband seines Vaters über Sumatra. Eingehend betrachtete er Bild für Bild, und wenn er malaiische Kinder abgebildet fand, suchte er Halims Gesicht.

Er hätte brennend gern gewußt, was jetzt aus Halim und Sentono wurde, ob Halim bei seinem Vater im Bergwald blieb, oder ob Sentono in den Kampong zurückkehrte. Aber er hatte Angst, Halim zu begegnen.

»Wenn er mich nicht mehr sieht...«, sagte er zu Putt.

Putt war stiller und nachdenklicher, als es sonst seine Art war. »Ich verstehe dich«, sagte er, »aber ich ginge zu gern noch mal hinüber – wegen Polly. Sie ist wirklich sehr sehr nett.«

»Vielleicht gehen wir«, überlegte Daniel. »Vielleicht morgen.«

Als Daniel zum ersten Mal aufstand und im Schlafanzug einen Ausflug rund um Vaters Schreibtisch unternahm, klingelte der Telegrammbote.

»Ein Telegramm für dich, Daniel«, rief Tante Johanna und eilte ins Zimmer.

Das Telegramm war wirklich an Daniel adressiert. Es kam aus Medan und lautete:

EXPEDITION BEENDET STOP FLIEGEN
SIEBZEHNTEN UEBER SINGAPUR ZURUECK
ANKOMMEN NEUNZEHNTEN 10.50 UHR
HERZLICHST
                                    ELTERN

Daniel studierte das Papier lange.

»Wann ist der siebzehnte?«

»Morgen«, antwortete Tante Johanna.

»Dann fliegen sie morgen von Medan weg?«

»So steht es im Telegramm.«

»Und am neunzehnten sind sie hier.«

»In drei Tagen also«, bestätigte Tante Johanna. »Bin ich froh, daß du wieder gesund bist! Jetzt mußt du nur tüchtig essen, damit du zu Kräften kommst.«

»Wann gibt's heute Mittagessen?« erkundigte sich Daniel.

»In einer knappen Stunde bin ich soweit. Bis dahin kannst du noch aufbleiben, und dann machst du Mittagsruhe, genau wie ich.«

»Von zwei bis vier«, nickte Daniel.

Tante Johanna verschwand in der Küche. Daniel und Putt sahen sich an.

»Ich meine, wir sollten«, sagte Putt.

»Heute?« fragte Daniel.

»Am besten heute.«

»Gut.«

Es war beschlossen, und es brauchte nicht weiter darüber geredet zu werden.

Fürs Mittagessen hatte sich Tante Johanna besondere Mühe gegeben, damit es Daniel schmecken sollte. Er stopfte zu ihrer Freude auch eine Menge in sich hinein, aber er wußte überhaupt nicht, was er aß. Seine Gedanken waren zu sehr beschäftigt. Neugierig und ängstlich zugleich versuchte er sich vorzustellen, was ihn erwartete.

Als die Wanduhr in der Diele zwei schlug, nahm Daniel Putt aus dem Käfig. Bevor er sich jedoch entschloß, die geheime Tür zu öffnen, blieb er eine Weile vor der Landkarte stehen.

Er betrachtete die Insel Sumatra mit ihrer langgezogenen Bergkette und legte seinen Finger auf die Stadt Medan. Morgen würden die Eltern dort abfliegen nach Singapur. Daniel suchte Singapur. Er fand es am südlichen Zipfel von Malaysia.

Putt wurde ungeduldig. »Mach endlich die Tür auf!« verlangte er.

Daniels Herz klopfte, als er die Klinke niederdrückte. Es war ihm, als müsse heute alles anders sein. Aber die Tür sprang auf wie immer, und die tropische Landschaft lag in flirrender Sonnenglut vor ihm wie immer.

»Wohin gehen wir?« fragte Daniel.

»Du zu Pa Wirios Hütte, ich zu Polly«, entschied Putt.

»Aber bitte, Putt...«

»Ja, ja«, rief der Papagei, »ich bin rechtzeitig wieder da.«

Er begleitete Daniel das erste Stück des Weges, aber noch bevor sie Pa Wirios Hütte erreicht hatten, flog er davon.

Daniel ging langsam durch den menschenleeren Kampong. Ein paar Gladakker-Hunde schliefen unter den Hütten. Der Geruch von gedörrten Fischen hing in der Luft.

»Pa Wirio«, rief er leise und setzte einen Fuß auf die unterste Sprosse der Leiter, die zur Hütte führte.

Die Bastmatte am Eingang wurde zurückgeschoben, und der alte Mann erschien. Er trug einen guten Sarong, hatte Sandalen an und ein turbanähnlich geschlungenes Tuch auf dem Kopf. Es sah aus, als hätte er sich zum Fortgehen angezogen.

»Komm herauf, Daniel«, forderte er ihn auf.

»Ist Halim . . .«

»Komm herauf«, wiederholte Pa Wirio.

Außer Pa Wirio war niemand in der Hütte.

»Wo ist Halim?«

»Bei seinem Vater Sentono.«

»Kommen sie nicht hierher?«

Pa Wirio schüttelte den Kopf. »Das kann Sentono nicht. Er hätte hier kein gutes Leben.«

»Aber er tut doch niemandem etwas. Er ist kein Tigermensch. Du mußt es ihnen sagen.«

»Für die Leute im Kampong bleibt er ein Tigermensch«, sagte Pa Wirio. »Sie haben zu lange daran geglaubt. Jetzt wollen sie nicht einsehen, daß sie unrecht haben. Sie wollen nicht, verstehst du? Wie soll ich sie überzeugen? Nein, Sentono kommt nicht zurück.«

»Und Halim?«

»Sie wollen beide zusammen nach Medan gehen. Sentono wird dort Arbeit finden, und Halim kann eine bessere Schule besuchen.«

»Sie wollen nach Medan? Woher weißt du das?«

»Von Halim. Er war hier.«

Daniel blickte zu Boden, und seine Augen blieben an Pa Wirios Sandalen haften. »Gehst du denn auch fort, Pa Wirio?«

»Der Tuan Doktor aus Medan ist heute hier. Er nimmt mich im Jeep mit, wenn er zurückfährt.«

»Alle gehen nach Medan«, murmelte Daniel. »Kennst du das Hotel Dirga Surga?«

»Ja, es ist ein feines Hotel. Die Tuans aus Europa wohnen dort.«

»Ich will auch mit, Pa Wirio.«

Pa Wirio legte ihm seine Hand auf die Schulter und schob ihn sanft durch die Tür ins Freie.

Eine Flut von Helligkeit blendete Daniel. Er mußte die Augen schließen. Als er sie nach einer Weile blinzelnd wieder öffnete, war der alte Mann verschwunden.

»Pa Wirio!«

»Tabeh, Daniel.« Die Stimme klang leise und entfernt.

»Pa Wirio, wo bist du?«

Es kam keine Antwort mehr.

Daniel sah sich um und entdeckte, daß er nicht mehr vor Pa Wirios Hütte stand, sondern vor der Wand mit der Tür. Putt war bei ihm.

»Putt, du?« sagte Daniel verwundert.

»Ich habe Polly nicht gefunden«, klagte Putt. »Sie ist fort. Kannst du das verstehen?«

Daniel zuckte mit den Schultern. »Halim ist auch fort und Pa Wirio auch. – Laß uns nach Hause gehen, schnell.«

Und er stieß die Tür zu Vaters Arbeitszimmer auf.

12

Am selben Abend erklärte Daniel, daß er wieder in sein eigenes Zimmer im ersten Stock ziehen wolle.

Tante Johanna war einverstanden. Bis zur Rückkehr des Vaters wollte sie das Arbeitszimmer sowieso gern in Ordnung bringen.

Daniels Bett wurde nach oben geschafft. Daniel durfte aufstehen und im Haus herumlaufen.

Vaters Arbeitszimmer betrat er jedoch selten, nur um Putt Futter zu bringen. Der Papagei saß trübsinnig in seinem Käfig. Er zeigte keine Freude, wenn Daniel kam, und zum Sprechen hatte er auch keine Lust.

Daniel wunderte sich nicht darüber. Er selbst wollte

auch nicht reden. Deshalb stand er immer nur still vor dem Käfig, kraulte Putt am Hals und ging dann wieder. Er vermied es ängstlich, einen Blick auf die Landkarte von Sumatra zu werfen.

Und dann kam der neunzehnte, der Ankunftstag der Eltern.

In der Früh wurde Daniel von Tante Johanna mit dem Sprichwort geweckt: »Was lange währt, wird endlich gut – in zwei Stunden kommen sie.«

Er verkroch sich sofort wieder unter seine Bettdecke, und er wußte nicht, was ihn mehr aufregte: das dumme Sprichwort oder die Ankündigung »in zwei Stunden kommen sie«.

Der Gedanke, daß seine Eltern schon bald hier sein würden, verwirrte ihn. Er hatte sie so schrecklich lange nicht gesehen, und er hatte inzwischen Dinge erlebt, über die er niemals mit ihnen sprechen würde.

Nach dem Frühstück ging er zu Putt.

»Die Eltern kommen gleich«, sagte er.

Putt antwortete nicht. Er schob sich nur näher an die Stäbe des Käfigs und neigte seinen Kopf. Daniel kraulte ihn zwischen den kurzen Federn am Nacken. Er fühlte den mageren Vogelhals, und ein tiefes Mitleid überkam ihn mit dem einsamen kleinen Papagei.

»Putt, mein Putt«, flüsterte er.

»Daniel!« Tante Johanna rief nach ihm. Sie wirtschaftete im Haus herum, damit auch alles zum Empfang ordentlich sei.

»Hast du ein frisches Hemd an? Sind deine Haare gekämmt? Mach in Vaters Zimmer kein Durcheinander mehr!«

Sie war um die äußere Ordnung bemüht, und sie übersah dabei, daß Daniel ganz andere Sorgen hatte.

Als die Ankunftszeit näher rückte, rannte sie nur noch planlos vor Aufregung im Haus herum, zupfte zum zehnten Mal die Tischdecke zurecht und schüttelte immer wieder die Sofakissen auf.

Daniel lauschte auf die Geräusche von der Straße. Er hörte als erster das ankommende Taxi. Hinter der Gardine versteckt, sah er, wie der Taxifahrer ausstieg und seiner Mutter die Wagentür aufmachte. Der Vater saß noch im Auto. Sicher kramte er in seiner Geldbörse, um den Fahrer zu bezahlen. Jetzt stieg auch er aus. Sie waren beide braungebrannt, und die Mutter sah sehr schön aus.

Während der Taxifahrer den Kofferraum öffnete, ging der Vater zur Haustür und drückte dreimal lange auf die Klingel.

Ein Aufschrei von Tante Johanna beantwortete dieses Zeichen: »Da sind sie!«

Daniel rührte sich nicht. Er blieb hinter der Gardine, während Tante Johanna die Eltern begrüßte, und er stand auch noch dort, als alle Koffer ins Haus geschafft waren und das Taxi abfuhr.

»Aber wo ist denn Daniel?« Die Stimme der Mutter klang besorgt. »Ist er wirklich wieder ganz gesund?«

Und dann riefen sie alle drei nach ihm.

Langsam, ganz langsam ging Daniel zur Tür. Er drehte sich noch einmal nach Putt um und nickte ihm zu, bevor er öffnete.

Die Eltern standen in der Diele inmitten von Koffern, richtig wie Reisende, die noch nicht wieder ganz zu Hause sind.

»Da ist ja unser Junge!« Der Vater kam mit ausgebreiteten Armen auf Daniel zu. Er drückte ihn ganz fest an sich und schob ihn dann der Mutter zu, die ihn lächelnd und auch ein bißchen traurig anschaute.

»Wenn ich gewußt hätte, daß du krank wirst...«, sagte sie.

»War nicht so schlimm«, sagte Daniel.

»Da siehst du's!« rief Herr Gilbert. »Unser Sohn ist viel tapferer und viel selbständiger, als du glaubst.«

»Das kann ich bestätigen«, erklärte Tante Johanna.

Daniel mochte es nicht, wenn über ihn gesprochen wurde. Er betrachtete das Gepäck und entdeckte eine große Pappschachtel mit Luftlöchern.

»Was habt ihr denn da mitgebracht?« fragte er.

»Eine Überraschung für dich und für Putt.«

Der Vater nahm die Pappschachtel, öffnete den Deckel und ließ Daniel hineinschauen: ein grüner Papagei saß darin.

Er sah Putt ähnlich, nur seine Brust war hellgrau mit einem zartrosa Schimmer.

»Polly!« rief Daniel. »Das ist Polly!«

Der Vater lachte. »Wir haben uns unterwegs schon alle möglichen Namen für das Papageienmädchen ausgedacht – aber Polly ist wirklich hübsch. So soll sie heißen. Putt und Polly, das paßt zusammen. Bring sie ihm gleich!«

Vorsichtig nahm Daniel Polly aus der Schachtel. Sie kletterte ihm zutraulich auf den Finger und ließ sich ins Arbeitszimmer tragen.

Putt blickte ihnen gespannt mit hochgerecktem Hals entgegen. Als er Polly sah, führte er einen wilden Tanz in seinem Käfig auf. Er kletterte mit Zehen und Schnabel blitzschnell die senkrechte Stange empor, hüpfte auf die seitlichen Sprossen, turnte dann herunter, stieg an den Messingstäben wieder hoch, schwang sich auf die Schaukel und brachte sie so heftig in Bewegung, daß der ganze Käfig mitschaukelte.

Daniel machte das Gittertürchen des Käfigs auf und setzte Polly hinein. Sofort ließ Putt von der Schaukel ab. Er gurrte ganz tief in der Kehle und begrüßte Polly auf die gleiche Weise, wie Daniel es schon einmal bei ihm gesehen hatte: Er trippelte auf der Stange hin und her und machte viele Verbeugungen vor Polly. Polly trippelte ebenfalls zierlich, und dann begannen sie sich gegenseitig liebevoll mit dem Schnabel zu kraulen.

»Wir haben Putt glücklich gemacht«, stellte Herr Gilbert fest. »Er war wirklich zu einsam. Papageien brauchen Gesellschaft.«

Die Mutter betrachtete Daniel. Ihr kam vor, als sei der Junge nicht ganz so glücklich.

»Wir haben doch ein Päckchen für Daniel«, erinnerte sie den Vater.

»Ja, richtig, das soll er gleich haben.«

Neugierig ging Daniel mit auf die Diele zum Gepäck. Die Mutter nahm ein mit Palmfaser verschnürtes Bündel heraus.

»Zuerst muß ich dir aber erzählen, wie wir an dieses Päckchen gekommen sind«, sagte der Vater. »Am Tag vor unserer Abreise waren wir auf dem Markt in Medan, um noch ein paar Mitbringsel zu kaufen. Da sprach uns ein Junge an: ›Ein Tigerfell, Tuan. Nehmen Sie es!‹ Wir wußten natürlich, daß man nicht ohne weiteres ein Tigerfell kaufen kann. Die Tiger sind streng geschützt; es gibt nicht mehr viele. Sie dürfen nicht gejagt werden.«

»Und der Junge hat euch trotzdem eins angeboten?« fragte Daniel.

Die Mutter hielt ihm das Päckchen hin. »Ein ganzes

Fell ist es nicht, nur ein Stück davon. Und ein bißchen abgenutzt ist es auch.«

»Eigentlich«, ergänzte der Vater, »wollten wir es gar nicht haben. Aber der Junge hat es uns regelrecht aufgedrängt. ›Bitte, Tuan, nehmen Sie es mit!‹ hat er gesagt. Er hat uns leid getan, und da habe ich schließlich meine Geldbörse gezogen und gefragt, wieviel er dafür haben will.«

»Und jetzt«, fiel die Mutter ein, »kommt das Merkwürdige: Der Junge hat mir das Bündel zugeworfen. Im selben Augenblick war er in der Menge untergetaucht.«

»Wir haben nach ihm gesucht«, sagte der Vater. »Aber in diesem Gewimmel auf dem Markt konnten wir ihn nirgends entdecken.«

Daniel hatte inzwischen die Schnüre aufgeknotet und das Fell auseinandergebreitet. Dann ging er damit ans Fenster. Die gelben und schwarzen Streifen leuchteten in der Sonne.

Einmal – wie lange war das her? – hatte er sich ein Stück Tigerfell um die Schultern gelegt und einen Freund gefunden.

Er warf das Fell über wie damals und murmelte: »Gali Bertali Pfefferwurz.«

In diesem Augenblick rief eine helle Stimme vom Nachbargarten herüber: »Hej, Daniel, bist du noch ansteckend?«

Manfred stand am Zaun und lachte über das ganze Gesicht.

Daniel riß das Fenster auf. »Kein bißchen mehr«, schrie er zurück.

»Dann komm' ich.« Manfred setzte mit einem Sprung über den Zaun und erschien gleich darauf in der Diele.

Da stand er, und sie wußten beide: jetzt war alles

wieder wie früher. Darüber brauchte nicht lange geredet zu werden.

»Wirklich, ein Tigerfell!« staunte Manfred.

»Und Putt hat eine Kameradin bekommen«, sagte Daniel. »Schau sie dir an.«

Sie gingen ins Arbeitszimmer. Die beiden Papageien hockten aneinandergeschmiegt auf der Stange.

Als Daniel Putt anrief, blinzelte er und sagte: »Pott ist schöön.« Dann wandte er sich wieder seiner Polly zu.

Die Mutter und Tante Johanna beschäftigten sich schon mit dem Auspacken der Koffer, während Herr Gilbert Daniel und Manfred von seiner Urwaldexpedition erzählte: von den Bootsfahrten auf dämmrigen Flüssen und den Orang-Utans, die hoch in den Bäumen ihre Schlafnester bauen.

Er führte die beiden Jungen an die große Landkarte und zeigte ihnen, in welcher Gegend er gewesen war.

»So«, sagte er zum Schluß. »Dieses Kapitel ist abgeschlossen. Jetzt können wir die Karte von Sumatra abhängen.«

»Abhängen? Aber doch nicht gleich.« Daniel hatte nicht damit gerechnet, daß die Karte fortgenommen werden könnte. – Die geheime Tür!

»Wir haben einen indischen Teppich mitgebracht; den will ich an die Stelle hängen«, sagte der Vater. »Hilf mal mit aufrollen, Daniel.«

Er faßte den runden Stab am unteren Rand der Karte. Daniel nahm das andere Ende. Beim Aufrollen kam die Rückseite zum Vorschein. Daniel erkannte das steife graue Leinen. Mit scheuen Blicken wartete er, bis die Wand ganz frei war. – Die Tür?

Es war keine Tür mehr da.

Der Vater hob die Landkarte vom Nagel und deutete auf die feinen Risse im Verputz, wo altes und neues Mauerwerk ineinanderübergingen.

»Wußtest du eigentlich, daß hier früher mal eine Tür war?« fragte er. »Man kann es noch sehen. Sie ist zugemauert worden.«

»Wann?«

»Vor vielen Jahren.«

Daniel tastete über die Risse in der Mauer.

Da fühlte er Manfreds Blick auf sich gerichtet.

»Wie weit bist du mit dem Modellboot?« erkundigte sich der Freund.

»Hab' nicht weitergebaut«, antwortete Daniel. »Und du?«

»Auch nicht.«

Daniels Gesicht hellte sich auf. »Dann mach' ich jetzt sofort weiter. Mein Boot wird erstklassig.«

»Meins auch.«

»Meins wird aber schneller.«

»Abwarten!«

Als sie durch die Diele rannten, um im Nebenhaus Manfreds Boot zu holen, ließ Tante Johanna wieder einmal eines ihrer Sprichwörter los: »Wenn einer eine Reise tut, dann kann er was erzählen.«

»Bla-bla-bla!« machte Daniel.

»Daniel!« rief die Mutter entsetzt.

Aber Tante Johanna lachte nur.

Daniel stürmte mit Manfred durch den Garten.

»Bla-bla, uah-uah, bla-bla-bla!« schrie er. Wild klang das, übermütig – und ganz erlöst!

Els Pelgrom

**Die Vagabunden
von der Zakopane**

Aus dem Niederländischen
übersetzt von
Mirijam Pressler.
Mit Illustrationen von
Hilke Peters.
180 Seiten. Gebunden.
Leser ab 10 Jahren.
ISBN 3-7903-0368-2

Von Amerika nach Europa, in die Niederlande, geht
die Fahrt mit der Zakopane, einem Frachtschiff. Auf
die drei Geschwister, Frances, die älteste, den
11jährigen John und die kleine Schwester Luneige,
die mit ihrer Mutter nach Amsterdam fahren, wartet
eine ungewisse Zukunft. Die Mutter, eine Niederlän-
derin, und ihr Vater, ein Amerikaner, haben sich
scheiden lassen. Nun sucht die Mutter in Amsterdam Arbeit und eine Wohnung. Das erweist sich als
sehr schwierig, denn auf eine Frau mit drei Kindern
hat man hier nicht gerade gewartet ... Aber Frances, John und Luneige helfen ihr – sie stecken voller Ideen, halten fest im fremden Land zusammen.
Sie sind es, die eine Wohnung finden, eine ebenso
ungewöhnliche wie preiswerte ...

Auszeichnung von Els Pelgrom:
„Goldener Griffel"
„Gustav-Heinemann-Friedenspreis"
„Deutscher Jugendbuchpreis"

Georg
Bitter
Verlag

Für Mädchen und Jungen von 9 bis 11 Jahren

dtv junior 70107

dtv junior 70141

dtv junior 70150

dtv junior 70117

dtv junior 70126

dtv junior 70152